과분한 사랑 주심에
항상 감사드립니다!

GARBAGE TIME

DASAN COMICS

매일매일 새로운 재미, 가장 가까운 즐거움을 만듭니다.

한국을 대표하는 검색 포털 네이버의 작은 서비스 중 하나로 시작한 네이버웹툰은 기존 만화 시장의 창작과 소비 문화 전반을 혁신하고, 이전에 없었던 창작 생태계를 만들어왔습니다. 더욱 빠르게 재미있게 좌충우돌하며, 한국은 물론 전세계의 독자를 만나고자 2017년 5월, 네이버의 자회사로 독립하여 새로운 모험을 시작하였습니다.
앞으로도 혁신과 실험을 거듭하며 변화하는 트렌드에 발맞춘, 놀랍고 강력한 콘텐츠를 만들어내는 한편 전세계의 다양한 작가들과 독자들이 즐겁게 만날 수 있는 플랫폼으로 거듭나고자 합니다.

#02
가비지타임
글 · 그림 2사장
TIME

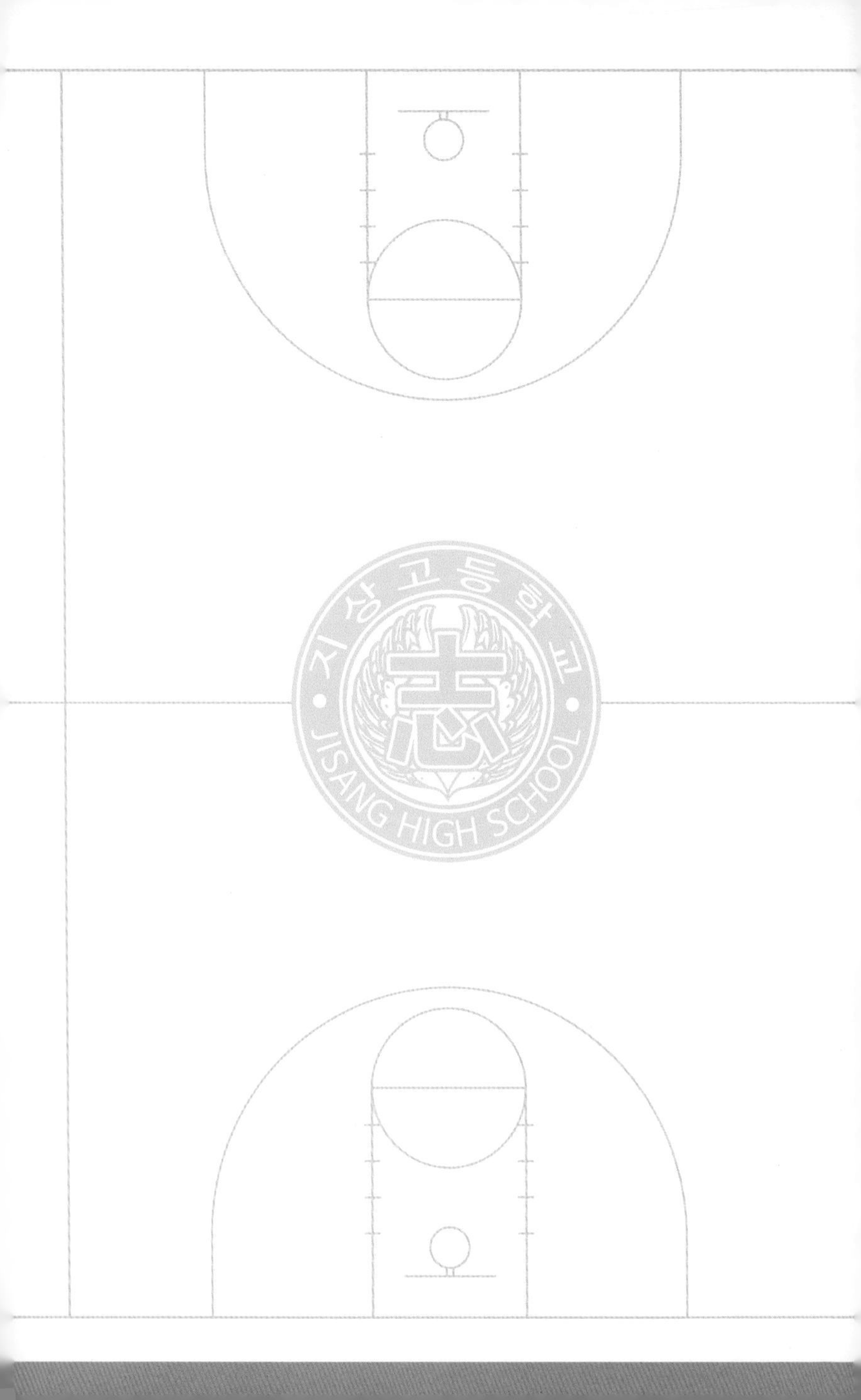
지상고등학교
JISANG HIGH SCHOOL

CONTENTS

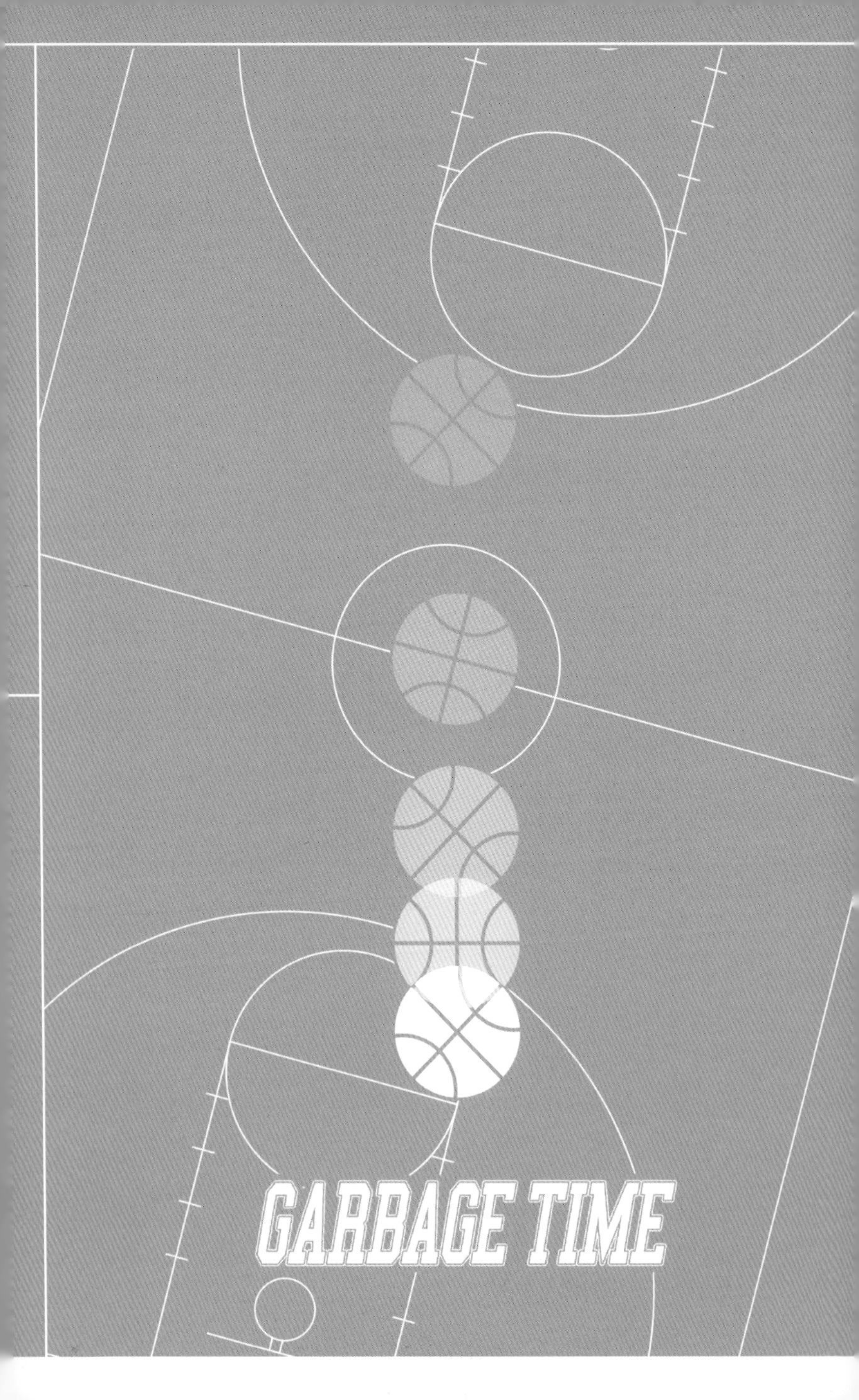
GARBAGE TIME

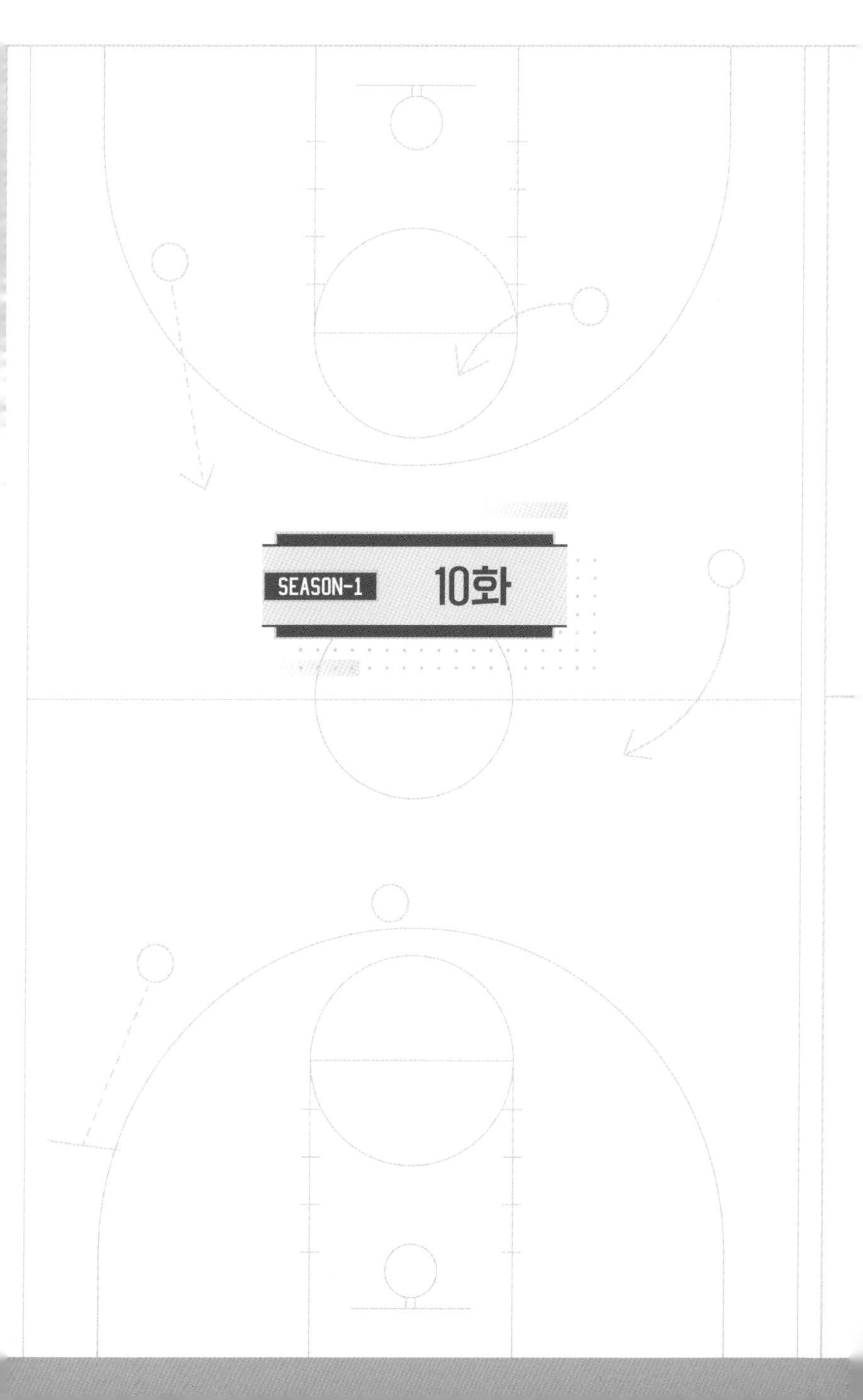

SEASON-1 10화

GARBAGE TIME

할 말 다 했으면 간다.
......

헉, 이쪽으로 온다!

?

휴,
안 들킨 듯
야, 상호.
잘 안 들렸는데
뭐라노?

…
자기도
잘 모르겠다 하대.

아,
뭐가 그래
애매한데?
남녀 사이엔
다 그런 복잡한 뭔가가
있는 법임.
이래서
연애 안 해본
애들은….
햄 연애
해봤나?
아니ㅋ
나도ㅋ

ㅋㅋㅋㅋㅋ
망할…
이렇게 된
이상…
내기는
그냥 끝난 듯

둘을
사귀게 만든다!

태성이 형.
그 누나한테 물어보니까 형이랑 아무 사이도 아니라는데요?
이 미친놈이
그걸 왜 물어보는데!?

아, 아무튼 제가 잘되게 도와줄 테니까 정희찬한텐 비밀로 좀…
내기는 알아서 하든가 말든가!!!
이-X끼들이 사람 갖고 내기나 하고…

쳇, 재수 없는 건 여전하시구만.
내한테 멋있다고 할 땐 언제고….

드응—신.
그냥 짝사랑이구만.
멋있다고 말해줬다고 혼자 상상 속에서 손자까지 보고 있나?

우왓!
깜짝이야!
잡담 그만하고
모여봐라.

니들도 알다시피
대회가 코앞이다.
하나부터
쌓아올리기엔 시간이
너무 부족하제?

그래서
이번 대회
우리의 콘셉트는…
'벼락치기'다.

저번에 상평고가
우리한테 우예 하는지
봤제?
벤치가
두터운 팀이라면
우리랑 할 땐 거의
그런 식으로 나올 기다.

우리
입장에선
게임 속도를
늦추는 편이
좋겠지.
상평고
6
7

그러면 일단,
휘익

탕

볼 잡았을 때 확실히 속공 찬스가 없다 싶으면,
탁
바로 지공으로 전환.

철저하게 패턴 위주로 가는 기다.
패턴 실패하고 남은 시간 동안은 투맨게임.

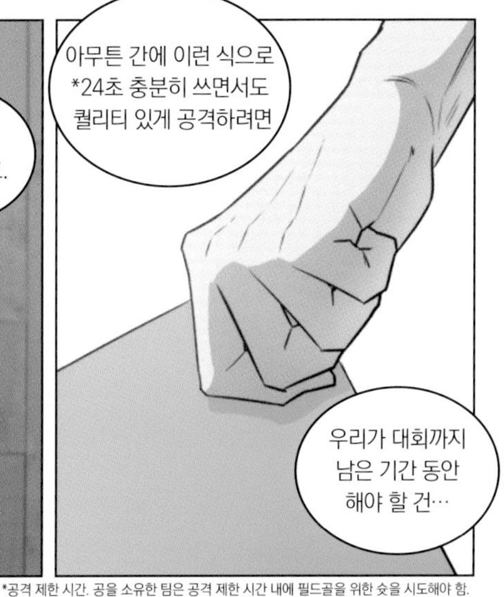

*공격 제한 시간. 공을 소유한 팀은 공격 제한 시간 내에 필드골을 위한 슛을 시도해야 함.

30개!?
엄청 많다…!
걱정하지
마라.
30개 전부
대회 때 쓸 것도 아이고,
연습 게임 때 해보고
잘되는 것만 추려서
가지고 갈 기다.

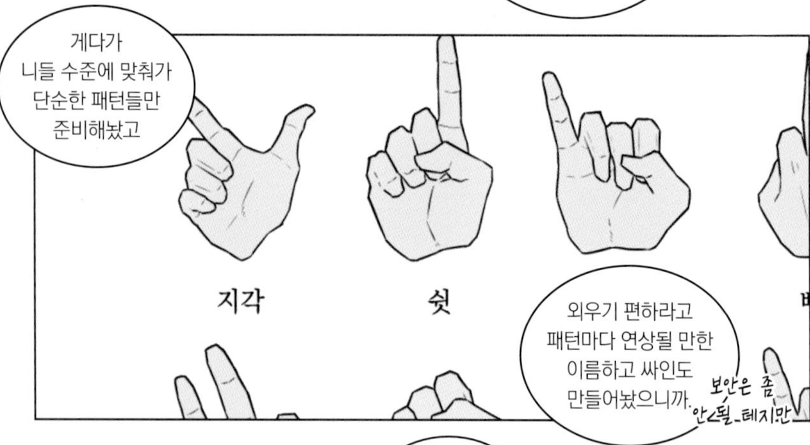
게다가
니들 수준에 맞춰가
단순한 패턴들만
준비해놨고
지각
쉿
외우기 편하라고
패턴마다 연상될 만한
이름하고 싸인도
만들어놨으니까.
보안은 좀
안 될 테지만

연습 게임은
누구랑 하는데요?
전국
최고 수준의…

중학생들.

……
JISANG

고등학생 되니까
중학교 1학년들 진짜
애기 같아 보인다.
그래도
3학년들은
다 큰데?

걔네 둘은
태성 햄보다
크네.
하…
오늘은 제발
잘해라.
왜? 설마
지기야 하겠나?
지지야
않겠지만…

큰 차이로
못 이겼다가는….
31

니는 걱정 쫌
하지 마라.
오늘 내
20점 넣고 오께.
JISANG
3
도대체
어디서 나오는
자신감인데?

어제 내
꿈자리가 좋았거든.

빠세잇!!
JISAN
아악!

통
후후
태성 햄
나이스!
삐--익
?

파울이다,
짜슥아.
자유투
두 개

이게 왜요!?
왜요는 일본 담요가 왜요고.
중학생들이랑 하면서 콜 하나 갖고 쪼잔하긴…
췟
추하다, 태성아.

햄, 파울 세 개째다.
아! 알고 있다고!

연습 경기치곤 과열된 느낌이야.
나이스!
굿샷!

중학생한테 질 수도 있겠다는 불안감.
고등학생을 이겨볼 수 있겠다는 기대감.
이 모든 게 다…
강문 08 : 40 시흥
SCORE
PERIOD
SCORE
32
3
45
점수 차가 생각보다 적기 때문이겠지.
굿샷!

경기 결과가 좋지 않으면 대회를 앞두고 팀 분위기에 좋을 게 없을 텐데
촤아

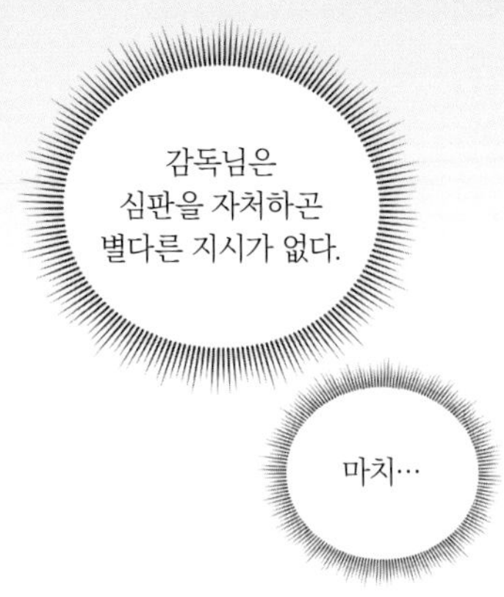
감독님은
심판을 자처하곤
별다른 지시가 없다.
마치…

우리가 지길
바라는 것마냥.

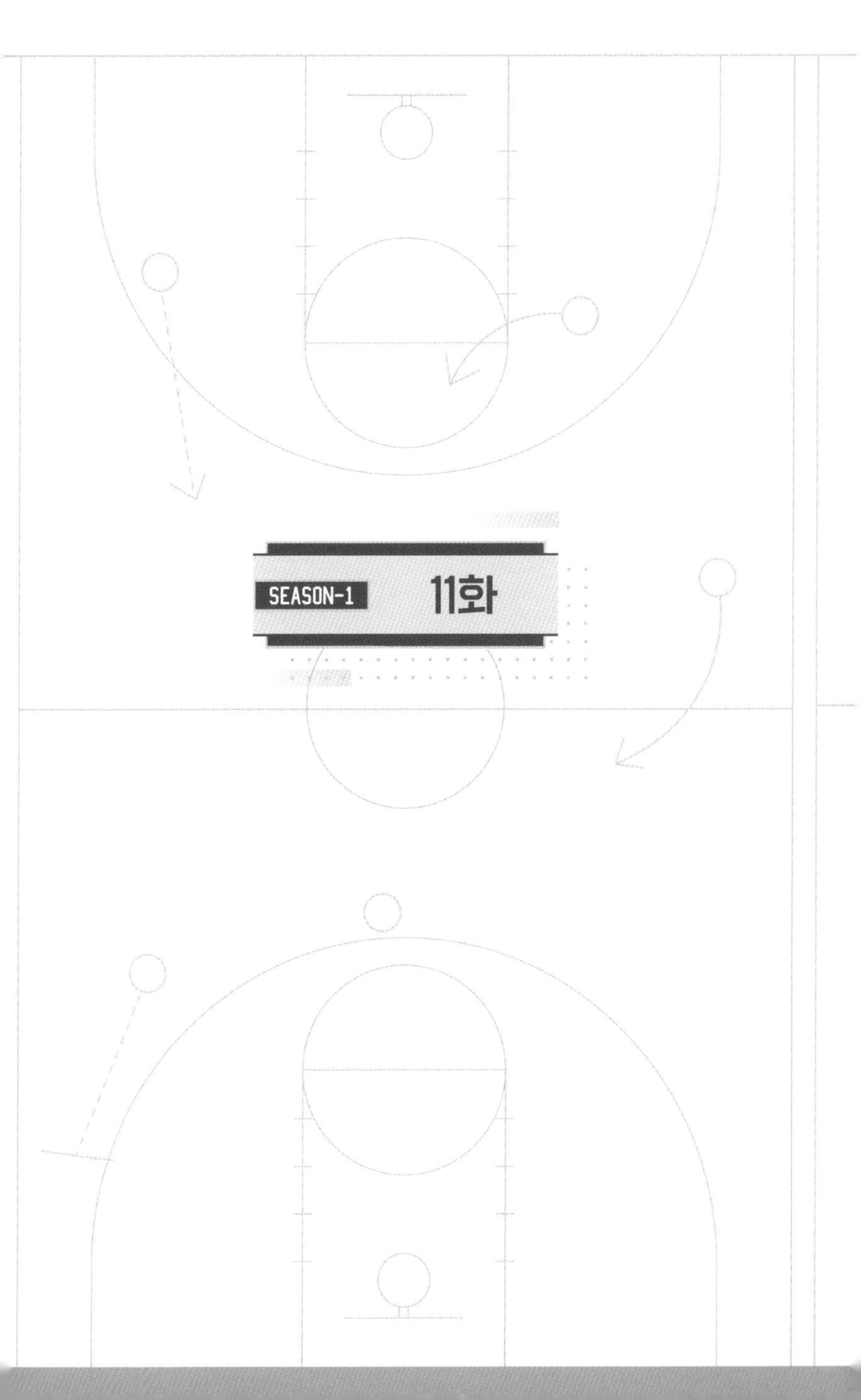
SEASON-1
11화

아!

탁
잡았다!

속공 찬스!
탕
탕
이 대 일이야!
확실히 성공시켜!

*슈팅 동작 중 파울이 발생한 상황에서 득점이 성공한 경우. 득점이 인정되고 추가 자유투 1구가 주어진다. = 득점 인정 반칙.

** 추가 자유투.

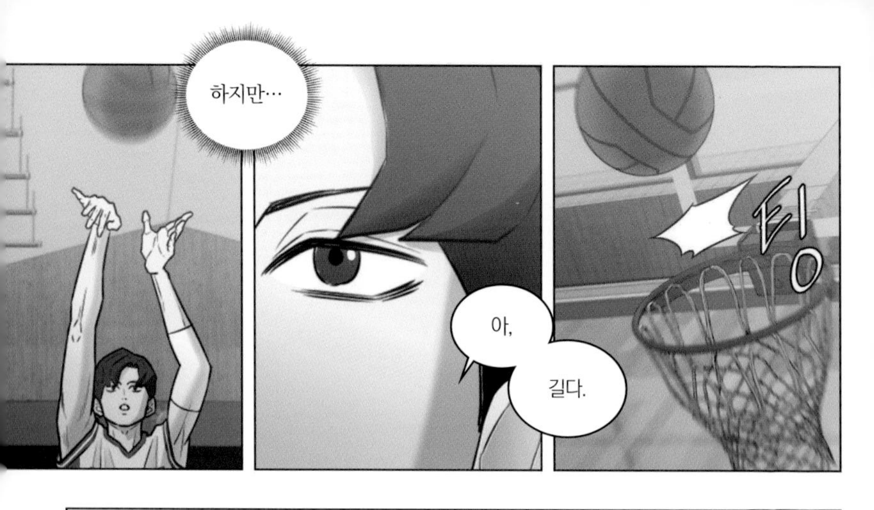
하지만…
아,
길다.
팅

골 밑은 딱히
우위를 점하고 있지
않아.
KANGMOOK
10
USANG
23

아!
찌익
삐이익
야! 태성아!
거기서 파울할 이유가
뭐가 있어!?
정신
안 차릴래!?
엑!?
또 파울!?
죄송합니다.

아쟁이가?
X끼 X나
아! 아! 거리네.
누가 봐도
파울인데….
……
아! 햄!
그만 쫌 해라!
뭐 그래
흥분했는데!?
탁
알았으니까
놔라 쫌!

저 X끼가 지금
구시렁거렸나?

시XX끼가….

팅

타악
리바!

탁

퉁

늦었다!

천천히….
패스!

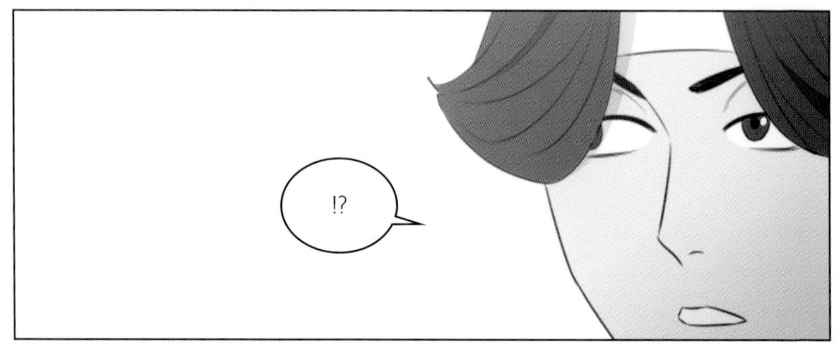
!?

태성 햄!?

뭐 하노!?
뽈 돌리라!
이미 늦었으니까!

재수 없는 X끼….

맞고…

뒤져라!!!

*수비를 앞에 둔 채로 성공시키는 덩크.

와당탕

태성 햄!
비행기 제대로
탔다…!
마, 괜찮나?
머리부터
떨어졌는데.
괜찮아요.
이거 파울이죠?
어.

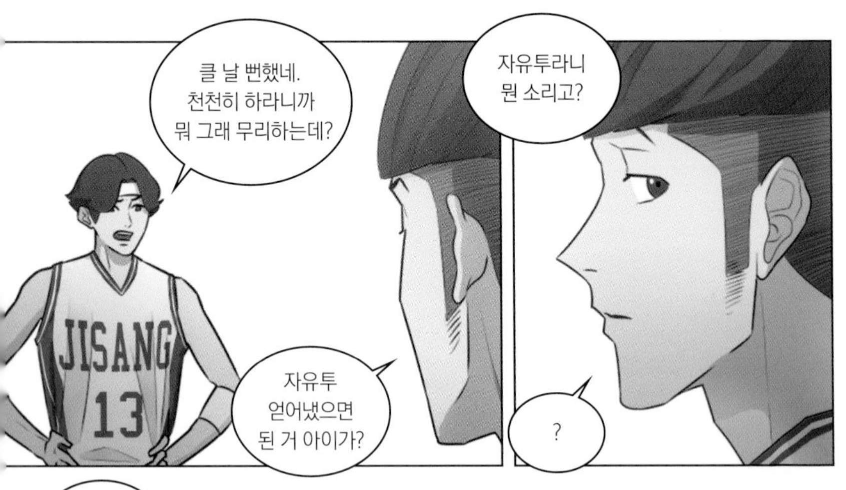
큰 날 뻔했네.
천천히 하라니까
뭐 그래 무리하는데?
자유투
얻어냈으면
된 거 아이가?
자유투라니
뭔 소리고?
?

파울은
파울인데
니 파울이라고.
차징

5반칙
퇴장이다,
짜슥아.

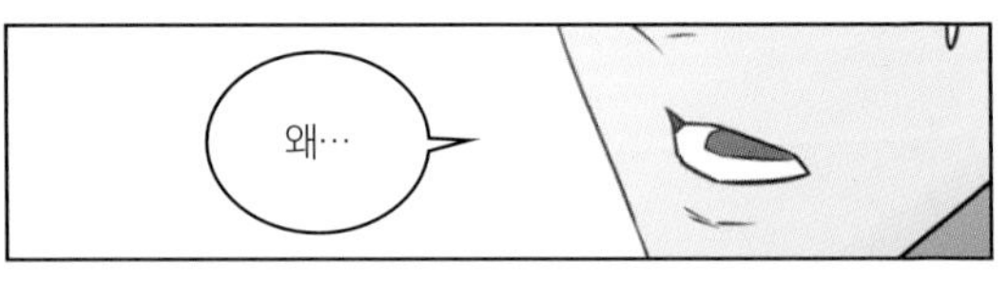
왜…

왜요!?
쟤가 도중에
끼어들었는데….
응 아니야~
안 바꿔줘
돌아가.
하…!

상호야,
들어가라.
엡…!
하…
큰일 났네.
이렇게
되면…

상호나 준수가
골 밑에 가는
상황이 나올 텐데…
아무리
고등학생 대
중학생이지만
이 정도 높이
차이는….
KANGMOON
5
JISANG
6
31

*체격 차가 큰 선수끼리 맞붙는 상황.

생각만큼
밀리지 않는데.
고등학생은
역시 세구나.

그렇다면,
KANGMOON
5

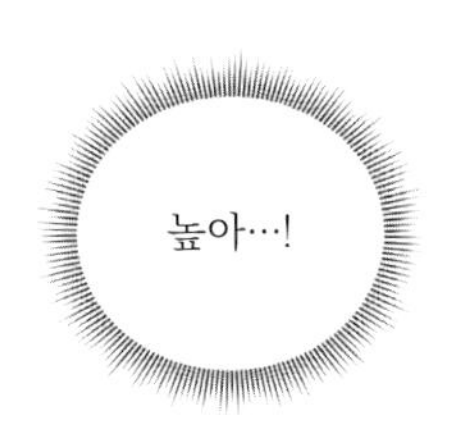
높아…!

쉬와아

!?

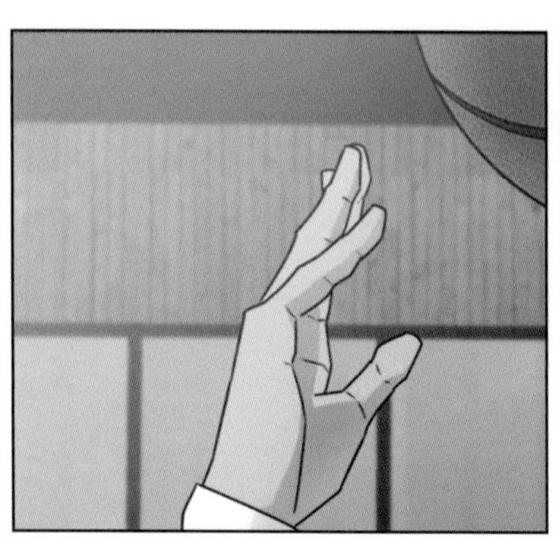

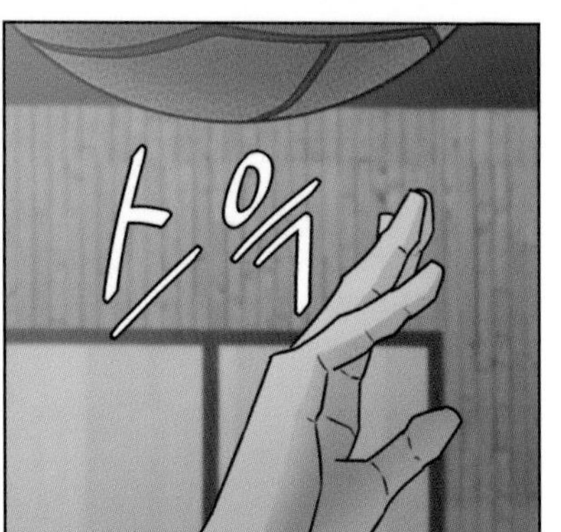
스윽

타앙

비익

팅

야. 다은이.
퇴장이다.
5반칙
으악,
4반칙째…!

네???

감독님,
저 아직
4반칙인데요?
잘못 세신 듯

다은이 형.
5반칙
맞아요.
USANG

JISANG
13
......

레알임?

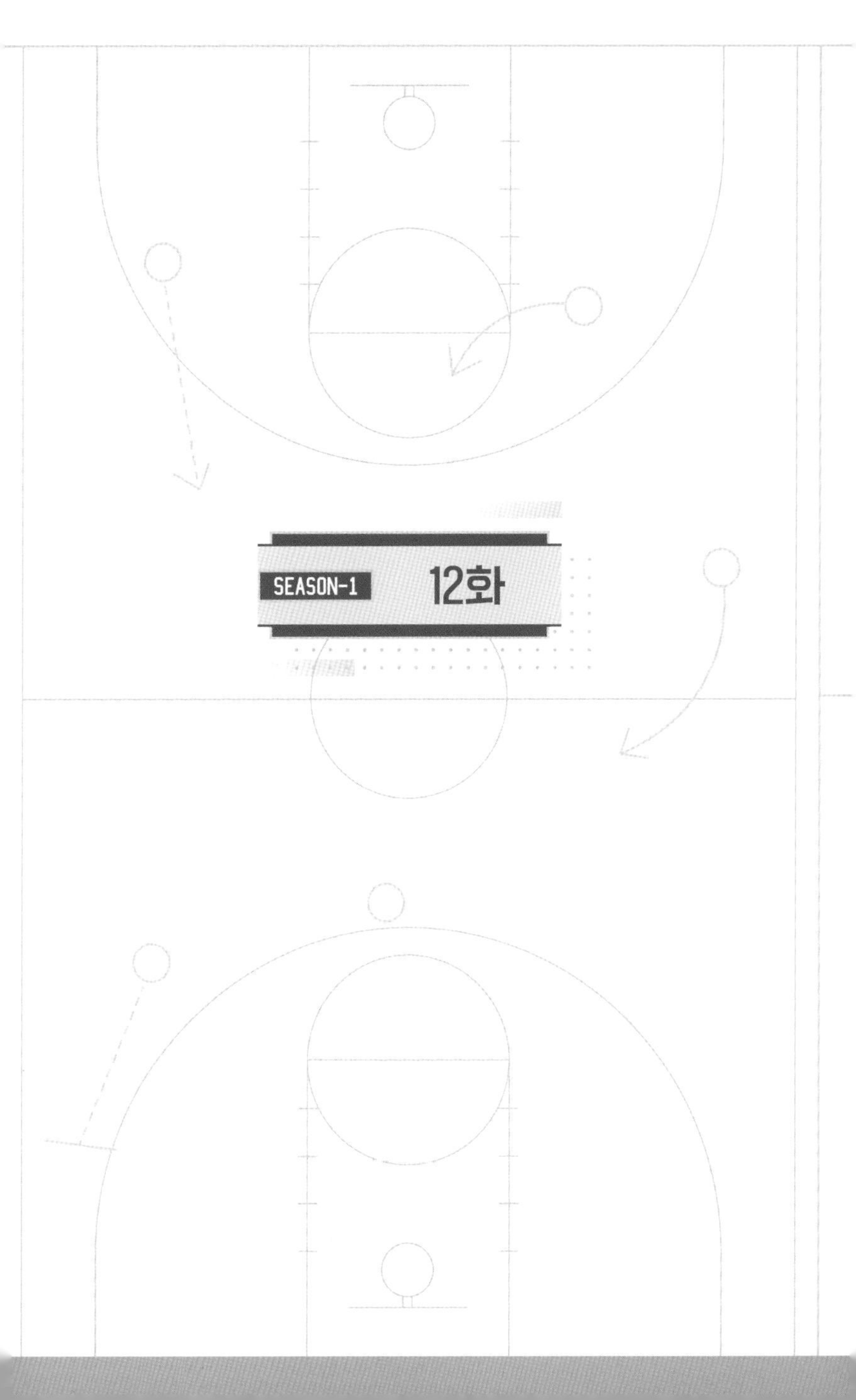

SEASON-1

12화

GARBAGE TIME

하… 사 대 오라니,
수비 어떻게 해야 돼요?
이런 경우는 처음인데.

정상적으론
불가능하고…

최대한
밖에서 던지게 만들고
안 들어가길
바라는 수밖에.

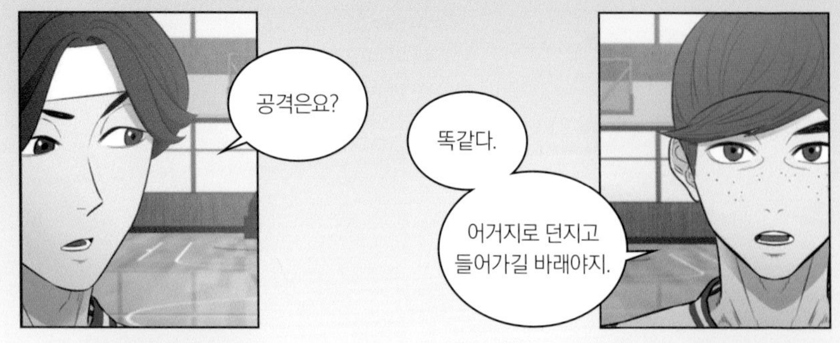
공격은요?
똑같다.
어거지로 던지고 들어가길 바래야지.

…
그렇게 시간 끌면서 하면 이길 수 있을까요?

강문 09 : 09 지상
SCORE
PERIOD
SCORE
56
4
68
간당간당 하겠는데.

버려! 버려!

슛하게 놔둬!

티
잉
리바운드!

티

탁

굿샷!
스윽

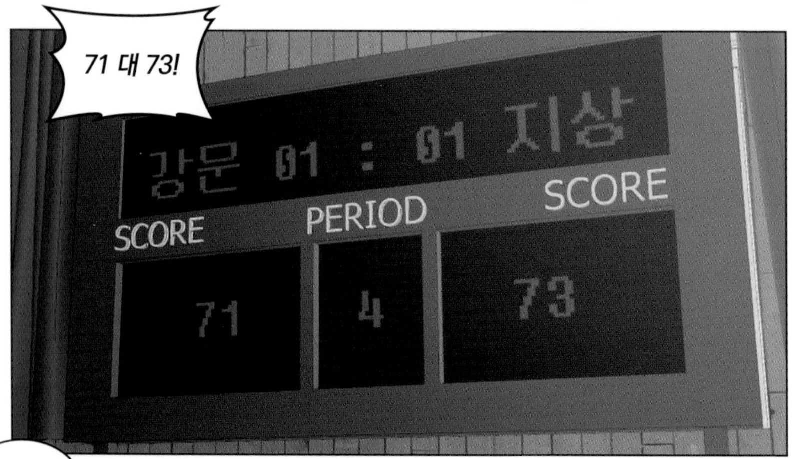
71 대 73!
강문 01 : 01 지상
SCORE
PERIOD
SCORE
71
4
73

하…
거의 다 따라잡혔다…!
어쩔 수 없어.
농구에서 한 명이 부족한 건 축구에서 다섯 명이 퇴장당한 거나 다름없으니까.

축구는 다섯 명 퇴장하면 몰수패인데요?
맞아.

이미…

진 거나 다름없어.

그나마 리드가 있었으니 지금까지 버틴 거지.
게다가 그냥 네 명도 아니라 제일 작은 애들 네 명이라

KANGMOON
10
JISANG
31
리바운드도
기대하기 힘들다고.

젠장할.
올해
첫 승 기회를…

이렇게
날리다니.
3점!
촤아악

들어갔다!
KANGMOON
17

강문 00 : 16 지상
역전이다!
ORE
PERIOD
SCORE
74
4
73

망할!!

시간 얼마
남았노!?

16초…!

나 줘!!!

탁

정희찬!!!

옙!

휘
익

깩…!
—!

강문 00 : 10 지상
SCORE
PERIOD
SCORE
74
4
76

—끗합니다!!!
석점포~!!!

정신 차려!

너무 빨리 던졌어!
아직 시간 남아 있다고!
PERIOD

타임아웃 다 썼어!
바로 온다!

그냥 던져야 돼!

훼
06
6초!

05
5!!!
텅
리바운드!!!
04
4!

타악
잡았다!!!

팅
JISANG
6

놓쳤어!!!

2!
공 나간다!

크윽!!!
탁
1!
01

74 대 76!
끝났다!!!
00 : 01
PERIOD
74
4
76

이겼쓰!!!
55

!??

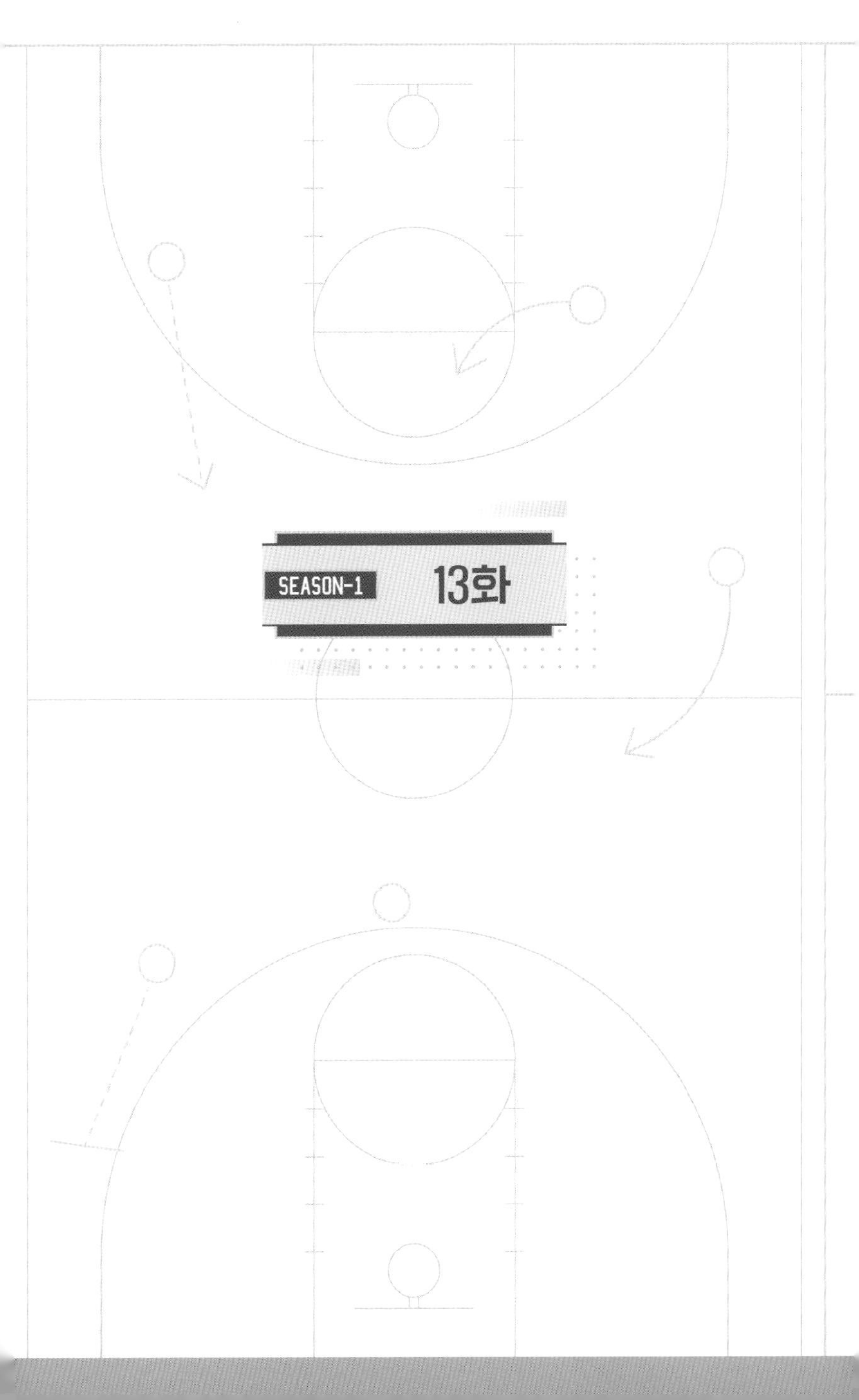

SEASON-1

13화

GARBAGE TIME

74 대 76!
끝났다!!!
00 : 01
PERIOD
74
4
76

이겼쓰!!!

!??

JISANG
13
JISANG
6

강운 00 : 00 지상
SCORE PERIOD SCORE
77 4 76

JISANG 13
JISANG 6

JISANG 13

와아아아우앙ㅇ우ㅛ아악ㄱ!!!!

이게
들어가네?
푸하하
야 이것들아,
우승했냐!?
적당히 해!
민폐니까.
낄낄낄
UGANG
6

아…

최악이다.
31

하이고마~
동네 창피해서
우야노~

중학생들한테
졌다고 전국에
소문 쫙 퍼지긋네.

……

마, 태성이.

우리가 진
이유가 뭐고?

마지막에
말도 안 되는
슛이…
아니
슛도 아닌 게 운 좋게
들어가버려서요.

그 전 상황에서 니가 퇴장 안 당하고 거기서 리바만 딸 수 있었으면 그럴 일이 없었을 텐데.

제가 퇴장당했어도 다른 학교처럼 부원이 열 명 정도만 됐으면…

점마들도 한 명 퇴장당하면 경기 힘들어지는 건 매한가지였는데?

점마들 주전 다섯 명이 3학년 전부라
한 명 퇴장당하면 변성기도 안 지난 1~2학년 꼬맹이들 나와야 하는 상황이었다.
매치 자체가 안 된다고.

우리가
진 이유?

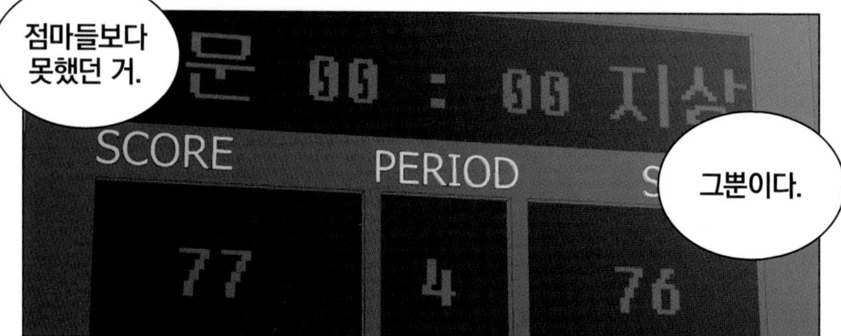
점마들보다
못했던 거.
SCORE
PERIOD
77
4
76
그뿐이다.

꼬라지들 보니까
중학생들한테 지는 건
기분이 좀 나쁜가배?

……

먼젓번엔
아무렇지도
않더마.
JISANG
23
SCORE
JISANG

감독님.

UISANG
그 말씀 하시려고
일부러 심판 보면서
판정 이상하게 하신 거
다 알아요.
일부러 지게
만든 거잖아요.

너 이 X끼
보자 보자 하니까
말하는 싸가지가…!
…?
니는 참
머리가 좋네.
하하

니를 위해
딱 하나 만들어둔
핑겟거릴 이래
잘 찾아올 줄이야.
내가
심판 안 봤으면
큰일 날 뻔했다?
그제?
…!
내 니 같은 놈들
아주 잘 알지.

국대? 누고?
설마 8번 금마?
엉.
16센가 17센가
한 번 했다대?
아이씨,
어쩐지
잘하더마.
잘하지. 금마한테
리바도 다 털리고.
아니, 그건 그 XH끼가
손톱 제대로 안 깎아가
팔을 막 긁어대니까…!
무서워서 제대로
하긋나!?
저, 감독님.
버티컬 리치 같은 건
키 큰 애들한테
너무 유리한 거
같은데…
뭣도 없는 주제에
자존심만 있어가
아~
100m였으면
내가 1등인데.
달리는 건
적당히 작은 사람이
유리하지 않나…
오히려 두 종목이나
되는데요.
일 쫌 안 풀리면
지 못난 건 인정 못 하고
온갖 핑겟거리 찾느라
바쁜…
열등감
덩어리들.

내 모든 걸
다 걸고
얘기하는데
내가 잘못 본 게
있을지도 모르지만
콜은 완전히
중립적이었다.

내는 농구론
거짓말 안 하거든.

……

…중립이었다고요?
그걸 제가 어떻게 믿어요?
아, 뭐 그렇게 생각할 만도 하다.
인정-인정

어예 하면 믿겠노?
아, 이래 하면 되겠네.

니 말은 콜이 공정했으면은 이길 수 있었다는 뜻이니까.

점마랑 일대일 해서 니가 이기면…
3점 내기

내 콜이 편파적이었다고 인정하께.

심판은 승호가 하고.
승호…?
오케이?
… 좋아요.

?
마 10번아! 이리 쫌 와봐라!
점마랑 3점 내기 한 판만 하자.
지금 좀 피곤한데요….

이기면 농구화 사주께.

……

그짓말.

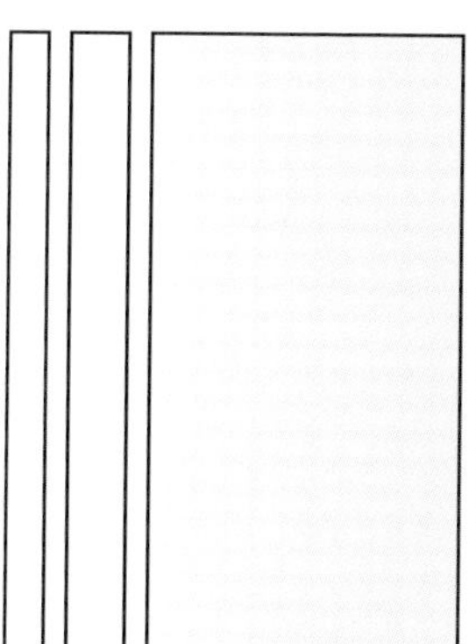

선공은
자유투로…
먼저 하세요
그냥.
휙

툭

……

그럼 제가
먼저 할게요….

체크요.
휙

윽!
팡
탁

아 X나 싫다
진짜….
통
빨리
끝내야지.

짜앙

뚫었다.

티
팅

와
엄청 높이 뛴다

재수 없는
X끼들.

사람 얕보다
어떻게 되는지…

제대로
알려줄게.

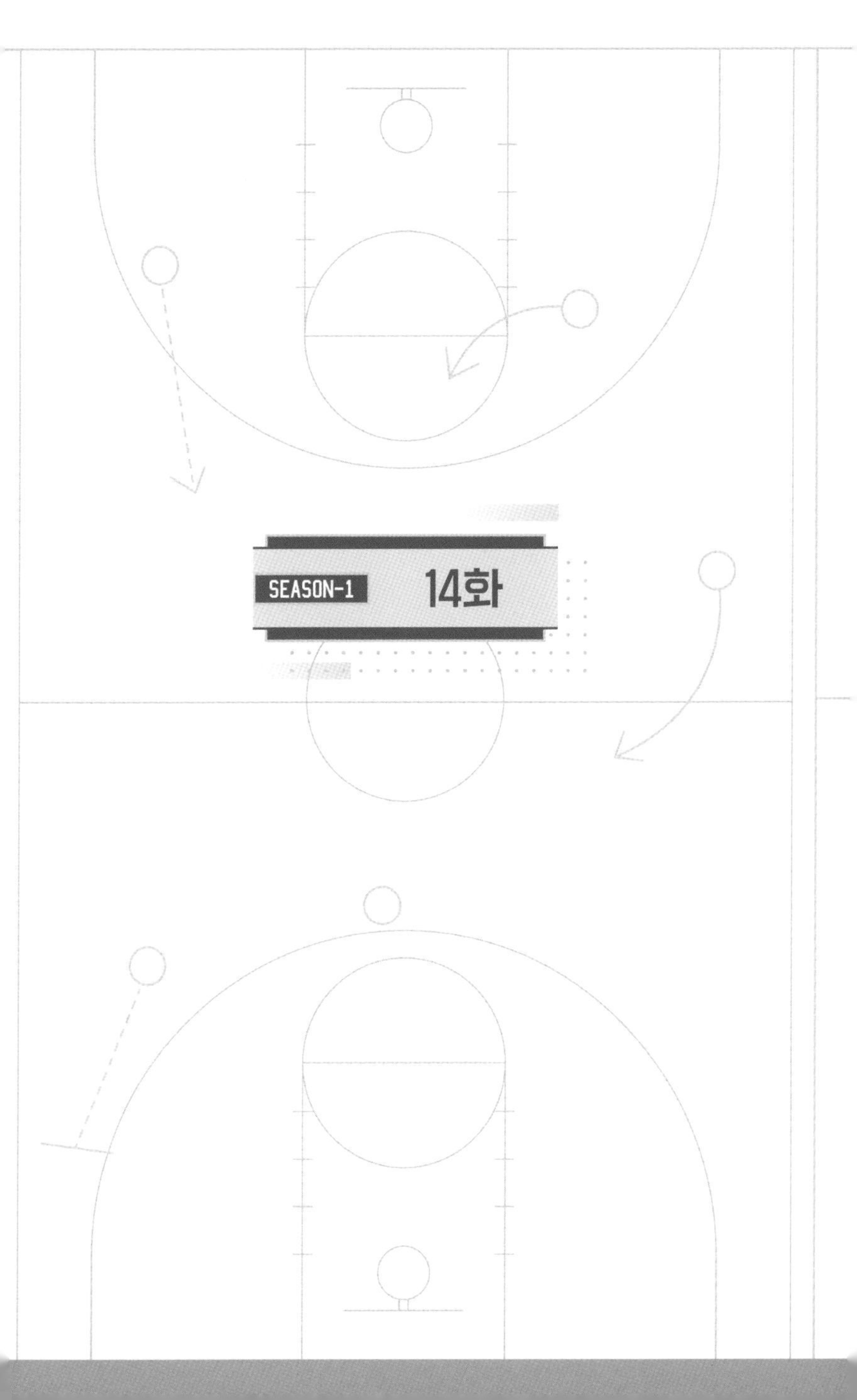
SEASON-1
14화

GARBAGE TIME

푸핫!
간지는 좀
부릴 줄 아나?

백날
저래봤자…

멀찍이
떨어져 있는데
무슨 소용이야.
햄!
헛짓거리 하지 말고
힘으로 해라,
힘으로!

저 X끼가…!

쌔액

그라췌!
JISANG
힘으로는
햄이 이긴다고!

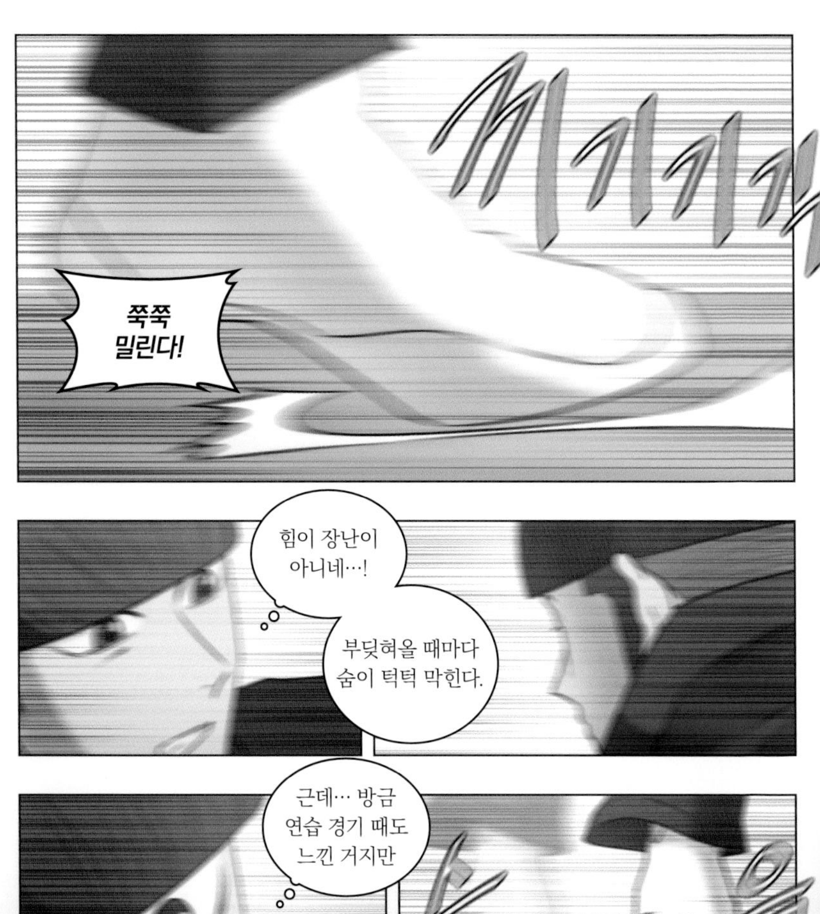
쭉쭉
밀린다!
힘이 장난이
아니네…!
부딪혀올 때마다
숨이 턱턱 막힌다.

근데… 방금
연습 경기 때도
느낀 거지만

이제
확실히 알겠어.

JISANG
초보자다.
!?

크앗!

아웃이요!
데굴
데굴

하 씨…!

나보다
살짝 작지만
고등학생은
고등학생.

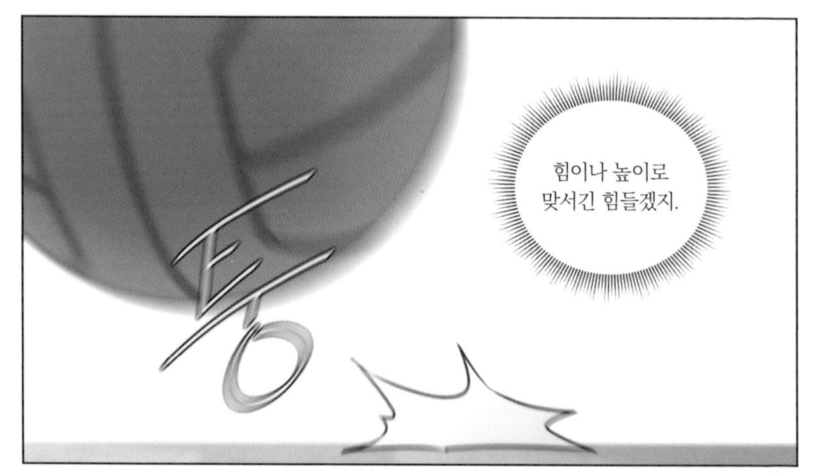
힘이나 높이로
맞서긴 힘들겠지.
통

파앗

탁

아아앗!!!
씨익

빙글

탓

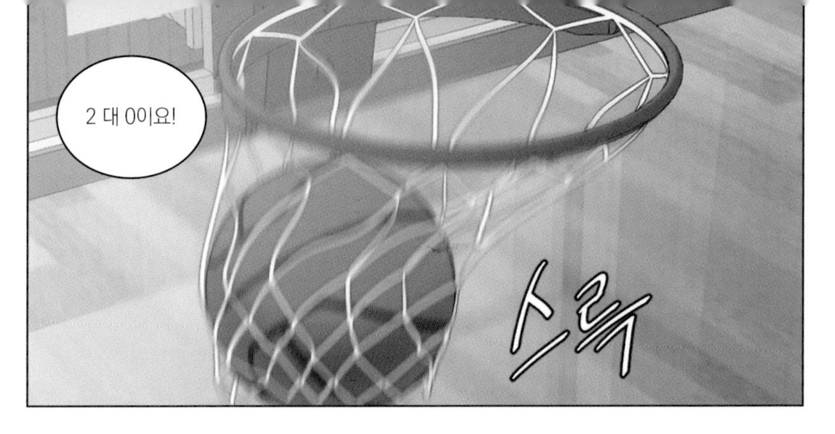
2 대 0이요!
스륵

에휴 병XX끼.
그 X랄을 해놓고 한 골도 못 넣고 지게 생긴 거야?

개X팔리네 진짜.

눈이
썩을 거 같아서
못 봐주겠다.

X발….

상중이 형
대단하다.
고등학생도
상대가 안 되네.
X발.

에이~
동작 보니까
완전 초보잔데?
X발.

저 정도는
나도 이기겠다.

X발!!!

으앗!?

아!!!

삐이익

쿵

아야야…
!?
엄살떨지 말고
빨리해라.
X팔
짜증 나게
하지 말고.

…!
아 X발
진짜 작작 좀
하라고요!

뭐? X발!?

마!
조용 안 하나?
마 X발X아,
일로 와봐라!
야 이 X끼
너 미쳤어!?
별 X발 양아치 같은 게
공부 못하니까 이제 와서
꼴에 운동 배워보겠다고…!
야!
너도 그만해
X꺄!

X발X이
니가 내 성적표 봤나
X발X아!?
니 같은
빡대가리 X끼들보단
훨씬 잘했는데!?
저 X끼가
진짜
미쳤나…!

씨X
일로 안 오…

못해…
못해먹겠다고
X팔!!!

지상고등학교
티잉

저 미친X끼가 진짜…
야! 거기 안 서!?
JISANG
햄! 어디 가는데!?

됐어. 잡지 마.

너 지금 문밖으로 한 발짝이라도 나가면

다시는
농구 못 할 줄
알아라.

멈칫
JISANG

벌컥

X까!
야!
태성아!?

진짜 가냐!?
…
이런 건…

예상 못 했는데….

하…

태성 햄
아직도
연락 안 되나.

부모님 전화도
안 받는다 하대.

기상호 축하~
이제 님이 주전임.
햄은 지금
농담이 나오나?

걱정 마셈.
걔가 어디 가서
험한 일 당할 만한 애는
아니지 않음?
험한 일을
저지를까봐
걱정이 되는 거지.
그 븅X 어차피 또
며칠 지나고 돈 떨어지면
알아서 돌아올 거임.

혹시 이대로
진짜 농구
그만둬버리는 건….
아이다.
이번엔 제대로
야마 돈 거 같던데.

탁
에효…
지상고등학교

숙소 가는 거도
걱정이다.
중학생들한테
깨지고,
태성 햄은
사고 치고…

31
들어가기
싫다….

……

8강 한 번
올라가고 나면
준수 형도 좀
덜해질라나.

그걸
말이라고
하나?
8강 가려면
태성 햄 없음
안 되겠제?

……

우리끼리라도
태성 햄 갈 만한
피시방이나 찜질방 같은 데
찾아보자.
오키.

비밥비밥비밥비밥비밥비밥비밥 비밥~
잠깐만.

비바비바비밥 비바밥~
어쩌면…

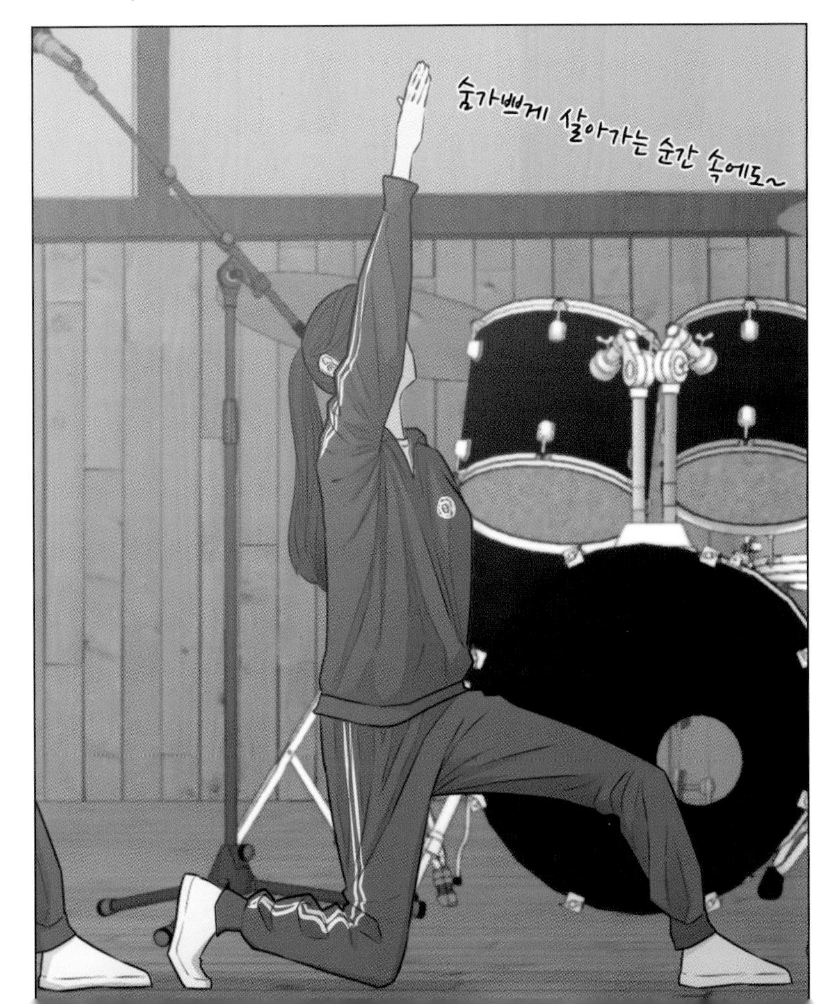
숨가쁘게 살아가는 순간 속에도~

더 쉽게
찾을 수 있을 거
같은데.

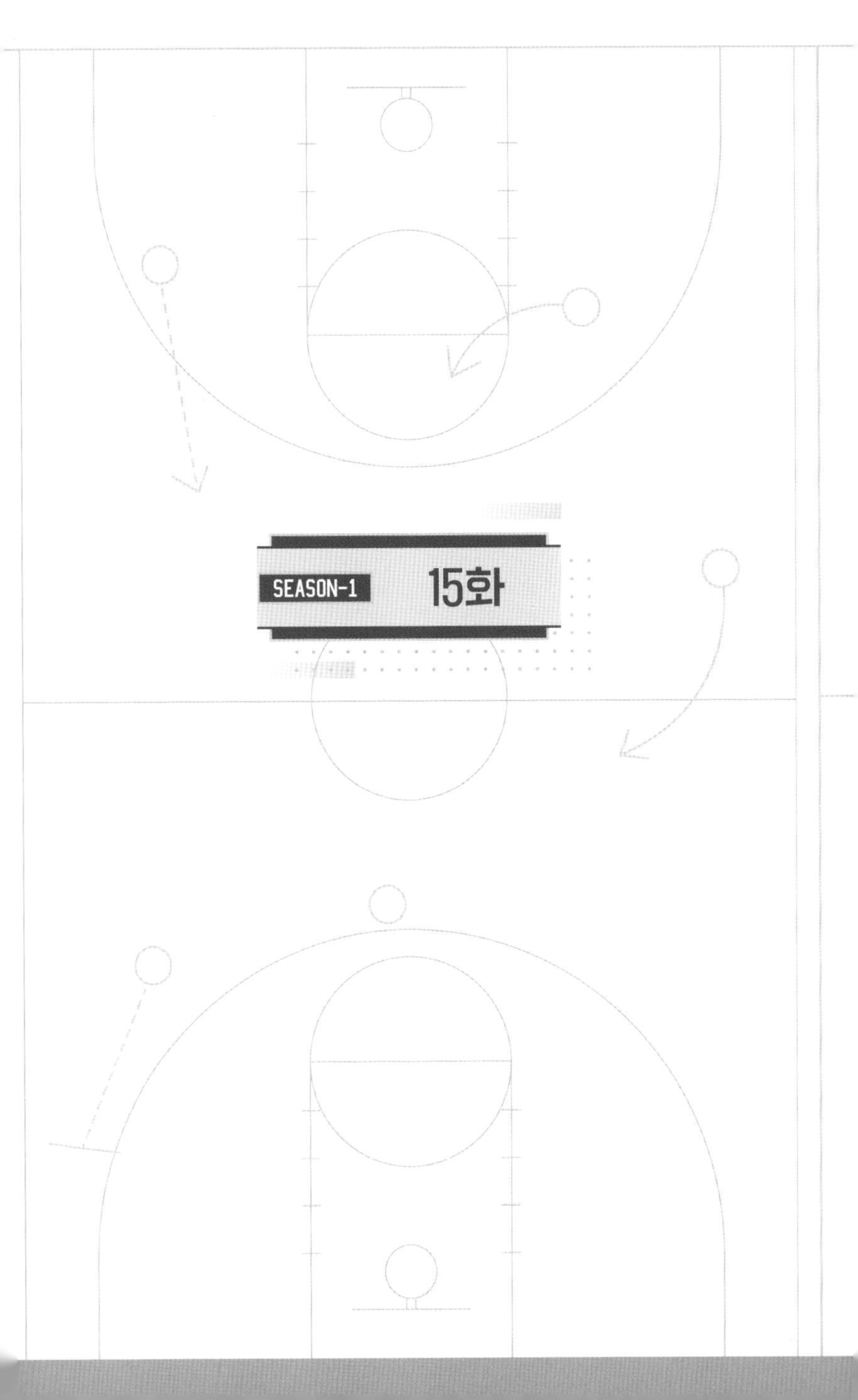
SEASON-1
15화

GARBAGE TIME

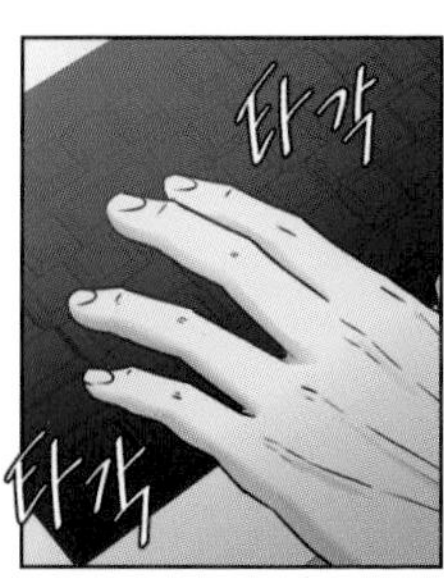
타각
타각

재미없다.

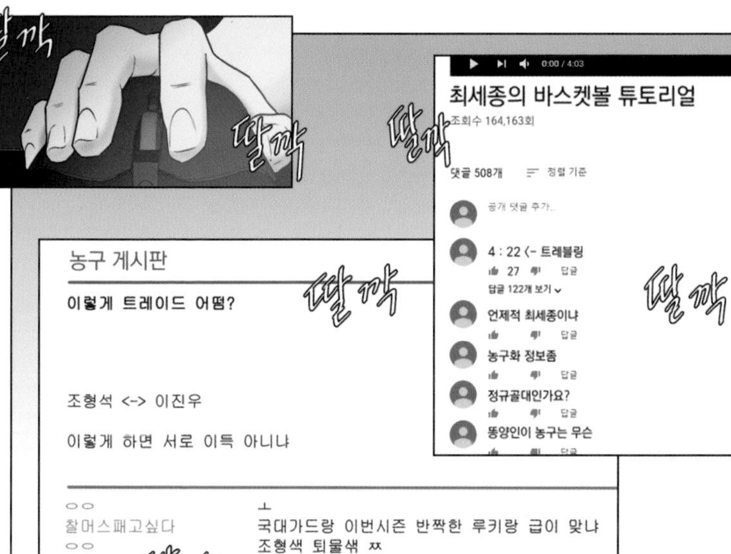
딸깍
딸깍
0:00 / 4:03
최세종의 바스켓볼 튜토리얼
조회수 164,163회
딸깍
댓글 508개
정렬 기준
공개 댓글 추가...
4 : 22 <- 트레블링
27
답글
답글 122개 보기
딸깍
언제적 최세종이냐
답글
농구화 정보좀
답글
정규골대인가요?
답글
똥양인이 농구는 무슨
농구 게시판
딸깍
이렇게 트레이드 어떰?
조형석 <-> 이진우
이렇게 하면 서로 이득 아니냐
ㅇㅇ
찰머스패고싶다
ㅇㅇ
ㅗ
국대가드랑 이번시즌 반짝한 루키랑 급이 맞냐
조형색 퇴물색 ㅉ
딸깍

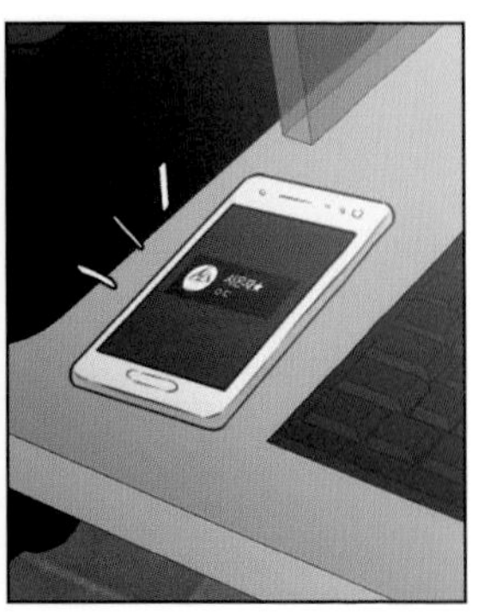

서은재★
잠깐 얘기 좀 해

뭔 일인데?

두둥

하….
뭐고 이 등장은
햄, 이제 드가자. 다들 걱정한다고.

잰 누가 데려왔는데?

기상호 또 니 X끼 짓이제?

쳇…
이래서 눈치 빠른 키다리는 싫다니까

어딜…!

니 내가
쟤한테 쓸데없는 얘기
하지 말라 했나 안 했나!?

그만해라.

내가 직접
오겠다고
한 거니까.

내 폰으로 연락하자고 한 건 걔가 맞지만.

누님… 굳이 그 말을 덧붙일 필요까진….
뭐 하러 왔는데? 그래 오지랖 떨고 싶어서 왔나?

운동하다 말고 뛰쳐나갔다길래 무슨 대단한 일을 하시려나 궁금해서 보러 왔다.

참견질은….
농구 하는 게 그래 싫으면 대체 왜 하는 건데?
니는 공부하는 게 좋아서 공부 선수 되려고 공부하나?
대학 가려고 하는 거지.

대학만 붙고 나면
농구는 그만둘 기다.

농구는
지긋지긋하거든.

대학은 당연히
갈 수 있다는 듯이
말하네.
어디
똥통 학교 같은 데
지원하면
갈 수야 있겠지.

…
농구 선수
되고 싶다 안 했나?

그런 말 한 적 없다.

하긴.
중학생도 못 이기는 게
프로는 무슨.
니 내 하는 거
제대로 본 적은 있나?

안 봐도 뻔하다.
맨날 놀러만
다니는 게.

니…

이번 대회
꼭 한번 보러 와라.
이번엔
제대로 준비해서
보여줄 테니까.

내가 왜?

으아악!
재수 없어!
시간 나면
생각해볼게.
간다.

니 꼭 와라
진짜!
이번엔
가까운 데서
하니까!
님 어디 감!?
쳇
어디긴 숙소지.

?

그럼 드가라!
낸 집 간다!
파이팅!

태성 햄하고
좀 시간 차를 두고
들어가는 게 어떨까요?
숙소에 폭풍이 몰아칠 거
같은데

노노.
공태성이
어그로 끌어줄 테니까
같이 들어가는 게
좋을 거 같음.
나도 퇴장당한 게
있어서
굳.

오 씨X
이게 누구야?

X나
좋아 보인다?
재밌게
놀았나봐?
죄송합니다.
꺼져.

…?

뭐임?
끝난 거?
생각보다
별일 없는데요?

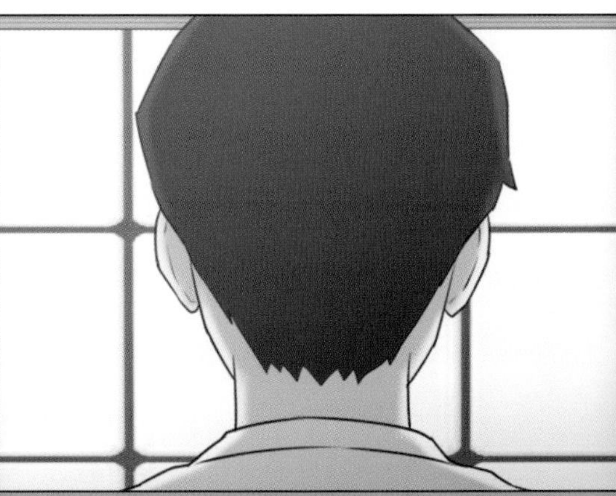

준수야.
왜 그렇게 거짓말을
하냐?

죄송합니다.
너 나 몰래 애들 때리고 그러지?
때리진 않았어요.
진짜예요. 준수가 애들 때리고 그러지는…
전 솔직히 코치님이 그런 거 좀 해주셨으면 좋겠어요. 이렇게 개판인 데는 처음이에요.
내가 널 믿을 거 같냐?
…준수야.

너부터
말하는 싸가지 좀
고치는 게 어때?
애X끼들이
젊은 선생님들이라고
만만하게 보는 거냐?

…죄송합니다.

하… 니가 어려서
이해가 안 되나본데
여기 부원 여섯이야,
여섯.
그딴 식으로 애들 다루다가
폭력 사건이니 뭐니 터진다거나
한두 명 힘들다고 그만두고 그러면
타격이 얼마나 크겠니.

특히 태성이.
걔 안 그래도 조금만 혼내고 힘들게 할 때마다 그만두겠다고 징징대는데 그때마다 어르고 달래느라 얼마나 힘든 줄 아냐?
걔 나가면 그만한 앨 어디서 주워 오냐고?
걘 니들이랑 달라.
농구부 들어오기 전까진 안 어울리게 공부도 꽤 잘했다더라.
당장 농구 그만둬도 아쉬울 거 없이 금방 학교생활 다시 적응할 수 있는 놈이라고.

걔 그만두면,
니가 걔 포지션
들어가야 되는데
할 수 있어?
니보다 10센치씩
큰 애들이랑 비비적대면서
리바운드 따낼 수 있냐고?
못 할 거면
가만있어.
그게 니들
좋은 대학 들어가서
농구부 유지시킬 수 있는
길이니까.
솔직히 말하면
태성이 그 자식은
나도 손쓸 방법이 없다.
스스로 바뀌길
기대하는 수밖에 없어.

……
결국
자기가 못 참고
때릴 거였으면서.

잘나가는 놈들은
벌써 어느 대학 갈지
다 정해져 있다는데
에휴

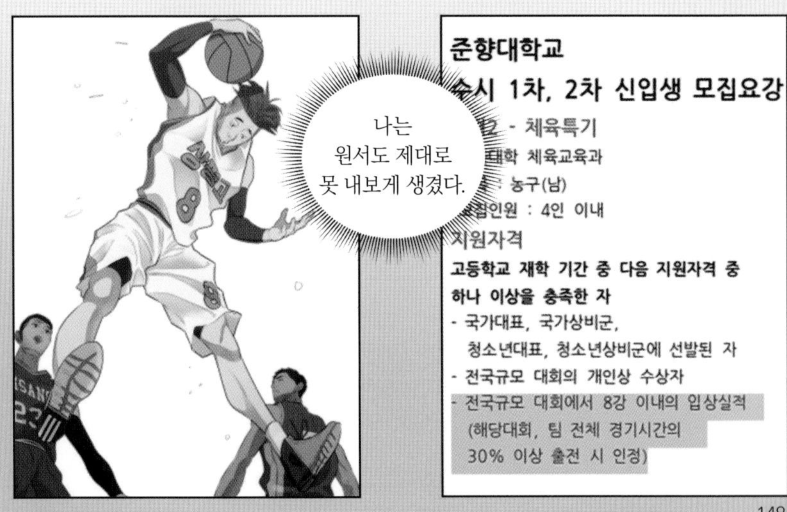
준향대학교
수시 1차, 2차 신입생 모집요강
2 - 체육특기
대학 체육교육과
: 농구(남)
집인원 : 4인 이내
지원자격
고등학교 재학 기간 중 다음 지원자격 중
하나 이상을 충족한 자
- 국가대표, 국가상비군,
청소년대표, 청소년상비군에 선발된 자
- 전국규모 대회의 개인상 수상자
- 전국규모 대회에서 8강 이내의 입상실적
(해당대회, 팀 전체 경기시간의
30% 이상 출전 시 인정)
나는
원서도 제대로
못 내보게 생겼다.

JISANG

하…

다 찢어
죽이고 싶다.

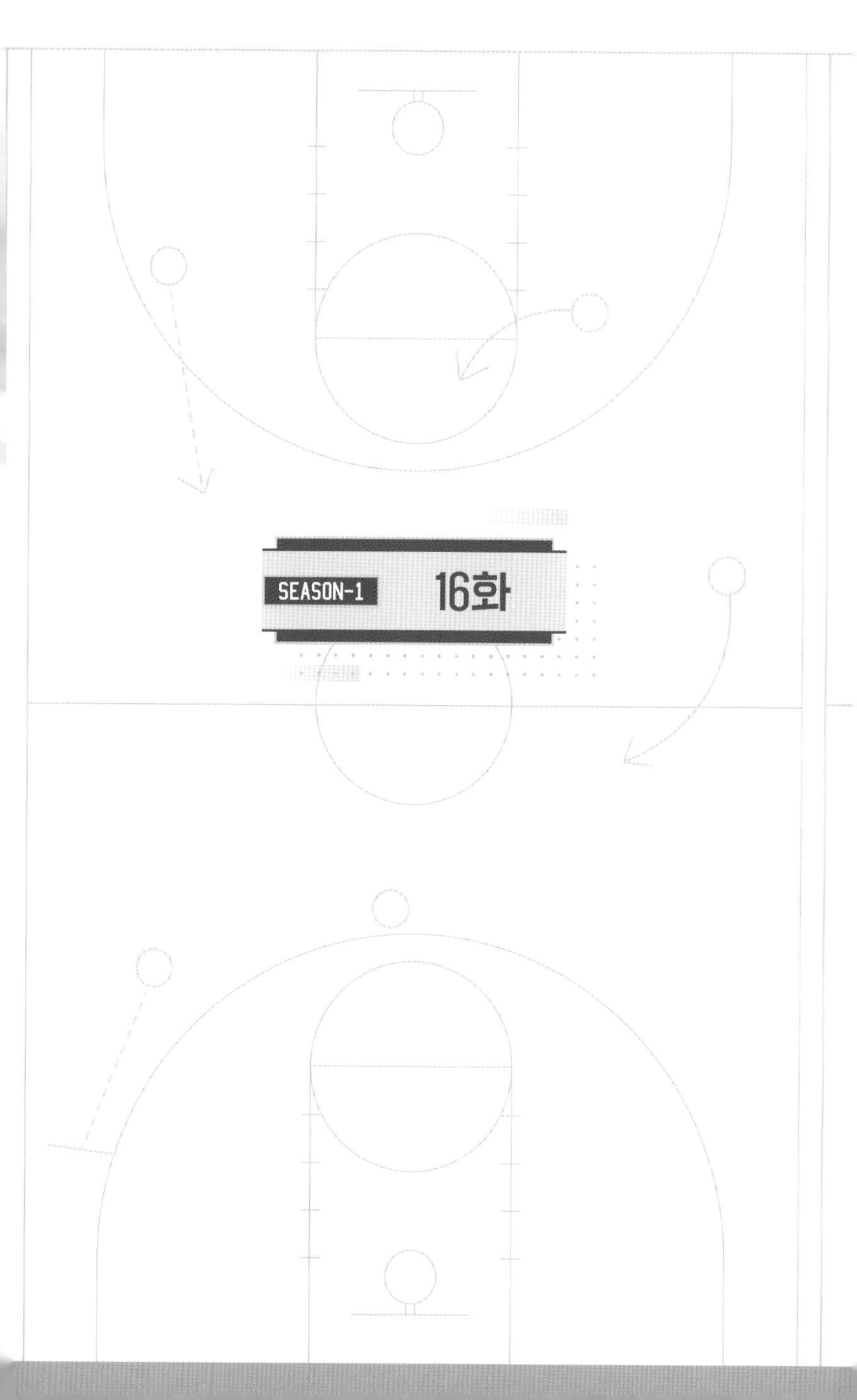
SEASON-1
16화

GARBAGE TIME

하…

내가
바랐던 건…
이게 아인데….

감독님의
깊은 뜻을 이제야
알았습니다!
흣. 앞으로
열심히 하도록.

…
어? 뭐야?

이렇게
금방 온다고?
웬일이래

…죄송합니다.

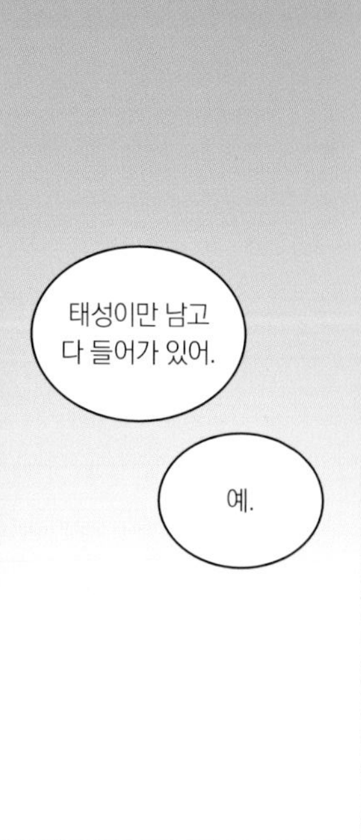
태성이만 남고
다 들어가 있어.
예.

자식들이
왔으면 연락을
해야지….

마, 희차이.

점마는 어예
데려온 기고?

말하자면
쫌 긴데…
태성 햄이랑
썸 타는 건지 뭔지…
암튼 그런 누나
있거든요?

썸?

JISANG

그날
태성이 형은
개처럼 털렸고
JISANG

본격적으로
대회 준비를 시작하자
시간이 금방 지나갔다.

매일매일
체력 단련

전술 연습

3학년 형들이
웨이트트레이닝에
집중하는 동안

우리들은
슈팅 연습
…을 하다
잠깐 쉬고 있다.
님들 이거 보셈.
재밌는 거 찾음.

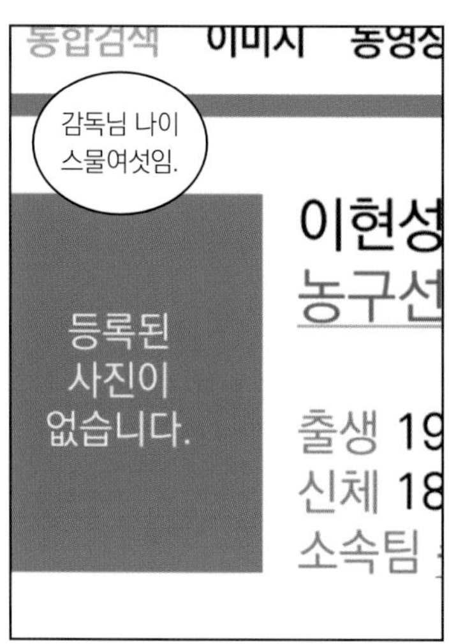

프로농구 신인 드래프트 예상

이현성 (지상고 - 선조대)
182cm 74kg 가드

선조대학교에서 주 득점원으로
활약하며 좋은 기록을 남겼으나
2부에서의 기록이라서인지
평가절하되는 면이 있다.
경기 중 쉽게 흥분하는 점을
개선하면 턴오버를 줄일 수 있을 듯.

장점 : 슈팅. 3학년 당시 평균
45퍼센트에 가까운 3점 슛 성공률을
기록. 스피드 또한 준수하다.

단점 : 포인트가드를 하기엔 부족한 리딩, 슈팅가드를 하기엔 작은 키.

총평 : 구력이 비교적 짧은 탓인지 경기 운영과 볼 핸들링에 약점을
보인다. 슈팅가드로 기용 시 작은 키로 인해 생길 수비 균열을
해결할 수 있는 팀들이 있다면 전문 슈터로서의 수요는 있을지도.

총점 : 3/10

예상 순위 : 3라운드~미지명

경기 중 쉽게
흥분하는 점을 개선하면
턴오버를 줄일 수 있을 듯.
푸핫!
총점이
3점이네….

그래도 2부에서
프로 가기
쉽지 않은데.
흥. 대단하긴
개뿔.
진짜 대단했으면
아직도 프로였겠지.
감독님 뭔가
대단해 보인다.

벌컥
깜짝

이 짜슥들이
잠깐 자리 비운 사이에
핸드폰이나 보고 있네.
가온나.

SANG
세상 참
좋아졌다
그제?
내 때는 말이다~
이런 거 절대
못 쓰게 했그든.

내 이런 거 엔간하면
터치 안 하는데
운동할 땐 만지지
말아야지.
저기 어디
다른 학교 아들처럼
졸업할 때까지
못 쓰게 해주까?
아닙니다.
흔들
이건 오늘 운동
끝날 때까지
압수다.
흔들

앞으로는 체육관 오기 전에 주장한테 핸드폰 다 걷어서 운동 끝날 때까지 한데 보관하라 하고.
근데 주장이 누고? 준수? 재유?
바뀐 지 얼마 안 돼서요. 원래 기철이 형이었는데….
기철이가 누고?
얼마 전에 다쳐서 그만둔 형 있어요.
어? 누구더라?
지들 주장이 누군지도 모르나?
그래서 지금 주장이 누구냐고~?
준수 형이요.
아마도

그라믄 앞으로 준수한테 핸드폰 걷으라고 전달해주고…
호상이 니는 슛 연습 잘되고 있나?

네.
저 혼자 연습할 때는
꽤 잘 넣거든요.
호상이가 아니라
상호···
함 떤져봐라.

팅

팅

팅

팅
어라…?
와 이라노?
잘 넣기는….
쫄보라
누가 보고 있으면
못 넣는 거 아이가?
낄낄

생각보다
자세나 각도 같은 건
나쁘지 않아서 별로
해줄 말이 없네.
앞뒤로
흔들리는 거 보니
거리감이 부족한 거 같은데
많이 떤지는 수밖에
없겠다.
네….

니 게임
뛰고 싶제?
네.
그럴라믄
슛이 무조건
있어야 된다.
농구엔 공격수 수비수
구분이 딱히 없제?
모두가 공수에서 각각 1인분씩
해줘야 된다는 말이다.

니가 수비는 그럭저럭
1인분은 하는 거 같다만은
공격력이 제로인 지금으로선
경기에 내보내줄 수가 없다.
네….
그렇다고
수비를 혼자 2인분 해서
마진을 맞추는 건 드릅게 어려우니까
슛을 장착해서 공격에서
1인분만큼 해달라는 기다.
이해되나?
그래.
계속해라.

저, 감독님?
뭐고 뺀질이.
진짜
스물여섯이에요?
뭐?
스물여섯이면
어쩔 긴데? 내랑
형 동생 할 기가?
아니 뭐 그냥….

다들 모였나?
예.

오늘 이렇게
니들 다시 모은
이유는

협회장기
농구 대회 대진표가
나와서다.

A조

1위 '가'팀 3승
2위 '나'팀 2승 1패
3위 '다'팀 1승 2패
4위 '라'팀 0승 3패

대회 진행 방식은
축구 월드컵하고 똑같다.
네 팀씩 조별 예선 치르고
상위 두 팀이 토너먼트로
올라가는 방식이지.

A조 1위 | B조 2위 | A조 2위 | B조 1위

A	진화고	창영고	강문고	복주고
B	기호전자	신유고	선대부고	민우고
C	조형고	지상고	양훈사대	원중고
D	무준고	주용상고	진훈정산	장도고

조형고등학교,
양훈사범대학부속고등학교
그리고…

원중고등학교.
니들도 알다시피 원중고등학교는 수도권 팀들 중에서도 상당한 강팀이지만
나머지들은 우리하고 같이 전국에서 손꼽히는 약체들이다.
조형고하고 양훈사대부고는
우리가 이기는 게 당연할 만큼 급이 다르다고 생각하거든.
하지만 내 생각은 다르다.

그 말인즉
이번 대회가
8강 실적을
올릴 수 있는
절호의 기회다
이 말이다.
총 16개 팀이라
조별 예선만 통과하면
바로 8강이거든

그런고로
다음 주 대회까지
많이 바쁠 기다.
예상보다 약팀들이
같은 조가 되는 바람에
준비할 게 또 생겼거든.

경기 일정은
조형고, 원중고,
양훈사대부고 순.
공지 사항은
여까지고…

준수는 잠깐
내 좀 보자.
예.

준수 햄
원중고 때문에
머리 복잡하겠네.
와?

니 모르나?
준수 햄…

1학년 때까지
원중고등학교
다녔던 거.

그렇게
시간이 지나고…

원중고등학교

지상고등학교

대회 날
아침이 밝았다.

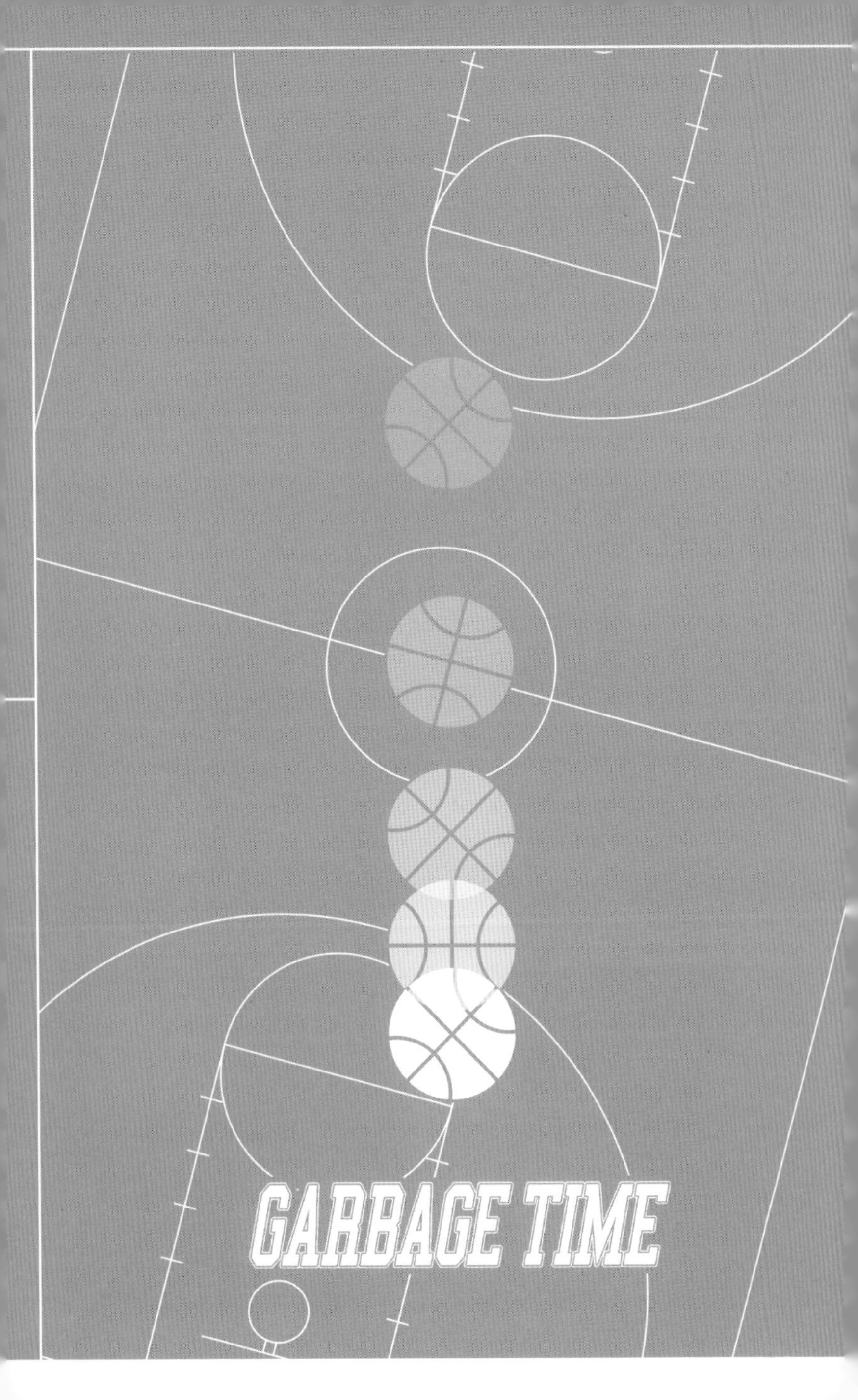
GARBAGE TIME

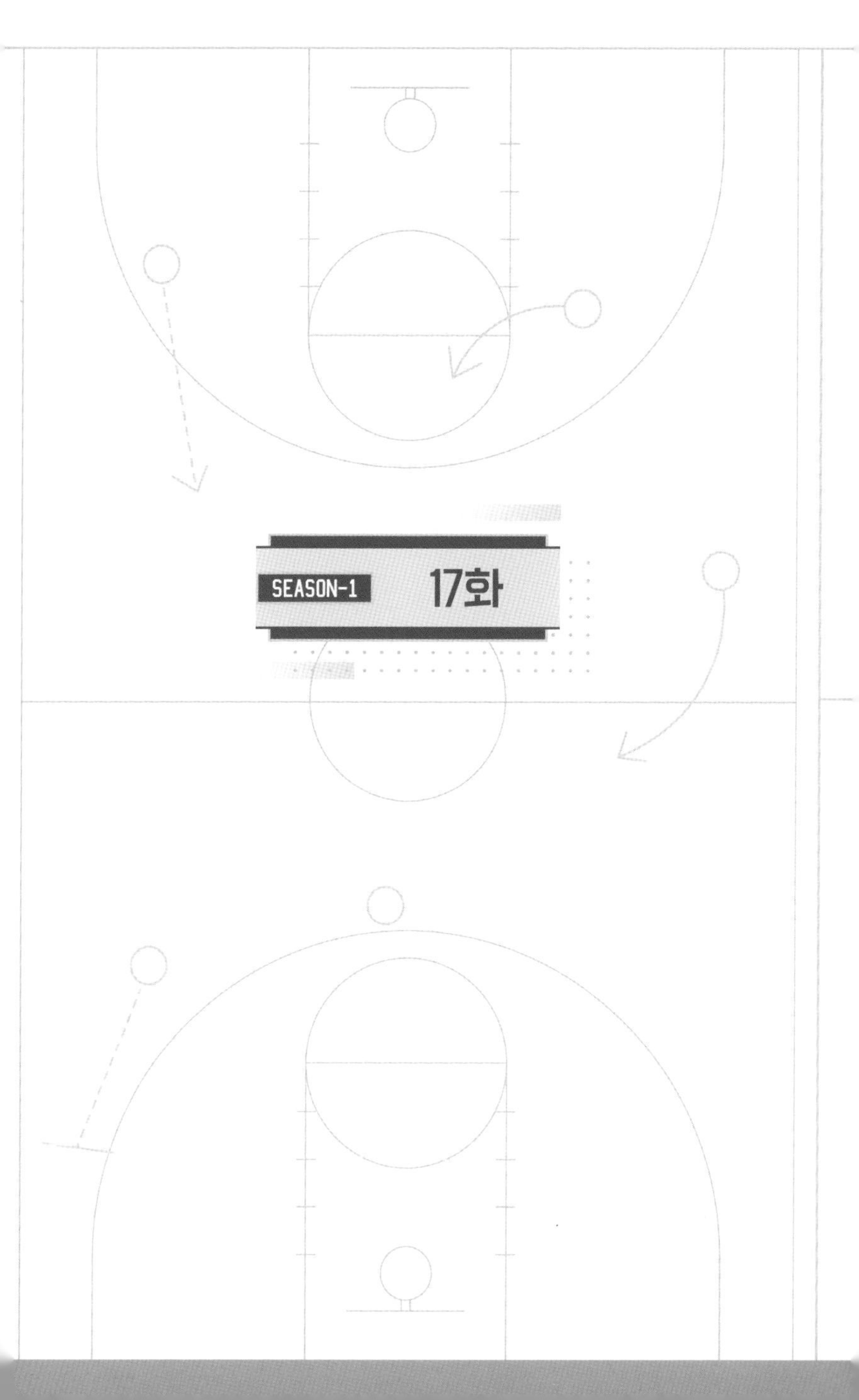

SEASON-1 17화

GARBAGE TIME

어라?
이 와 이라노?

넥타이 맬 줄 모르세요?
알았는데….
줘보세요.

여기요.
야! 이현성 이 X꺄!!!

X끼 요새 연락도 안 하고 말이야~! 잘 지냈어!?
에이씨, 아들 보는데 가오 안 살게…!
이거 좀 놓고 말해라!

고등학교 감독 됐다더니 꼴에 슈트로 쫙 빼입고 왔네.
폼은 무슨 프로 감독인 줄 알겠다 아주!
넘어와서…
나이도 어린 새X가…
상평
아, 됐다 됐어. 그냥 냅둬.
뭐고 뺀질이.
진짜 스물여섯이
애고 어른이고 나이 갖고 만만하게 보길래 폼 좀 잡아봤다.
근데 행님이 여긴 우짠 일이고?

내년 신입생으로 괜찮은 애들 좀 있나 보러 왔지.
영상으로 보는 거보다 직접 보는 게 좋거든.

그러고 보니 현성이 너 살 좀 빠진 거 같다? 요새 운동 따로 하나봐?
운동은 무슨. 농구쟁이가 농구공이나 튀기면서 살지.

야. 내가 요즘 자전거를 좀 타거든?
너도 한번 타보는 거 어때?

농구는 무릎에 안 좋다고.

뭔 소리고? 자전거 타다 넘어지고 사고 나고 하면 훨씬 크게 다칠 낀데.
무서워서 어예 타노?

야.
안전 수칙 딱딱 지켜가면서 타면 그럴 일 없어.
그 논리면 수영은 물에 빠져 죽을까봐 못 하지.
생각해보께. 내 바쁘니까는 난제 얘기하자.
우리 3학년 아들 실력 좋으니까 경기 보러 오고.

X끼 비싼 척은.
뭐, 알았다! 이따 보러 갈게!

나이 때문에 만만히 보이는 게 고민이세요?
저한테 좋은 방법이 있는데.
뭐고?

이렇게…
앞머리를 넘기면
쉽게 해결될 일인데….

농구판이
참 좁다.

대학 선배도
만나고.

명운여고 농구부의 선전을 기원합니다.

언젠가
경기에서 마주쳤던
심판들도 보이고.

쟤는
누구네 집
아들.

WONJ
얘는
누구 동생.

마주치기
껄끄러운 사람.

그리고

이야~
못 본 사이에
할배가 다 돼뿟네.
오래간만입니다.

고교 시절
스승님.
허허,
현성이 이 자식.
예의를
국에 말아 처먹은 건
여전하구나.
잘 부탁한다.

협회장기

이런 곳에선

아마 애들끼리도
서로 얼굴은
다 알겠지.
여중 농구부
승
6번 점마
작년엔 분명
내보다 작았는데…?

도고등학교 농구부
13번은
1학년인가?
쟤 알아? 어때?
그냥
빠르기만 하고
별거 없었어요.
특히 동갑내기라면
초등학교 때부터 지금까지
적어도 한두 경기는
마주쳤을 테니까.

처음 보는
애들이 많네.
모르는 얼굴이 있다면
이유는 별거 없지.

초보자라든가
더럽게 못해서
기억에 안 남은 거다.

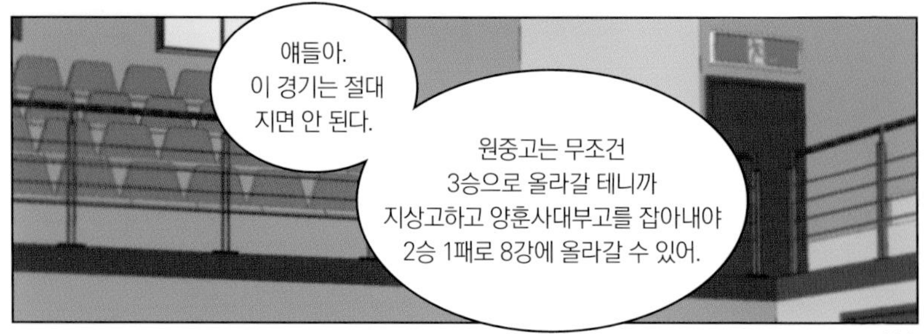
얘들아.
이 경기는 절대
지면 안 된다.
원중고는 무조건
3승으로 올라갈 테니까
지상고하고 양훈사대부고를 잡아내야
2승 1패로 8강에 올라갈 수 있어.

특히
지상고 같은 최약체한테는
반드시 이겨야 돼.
예.
그리고 31번이랑 4번 말고는
슛 없는 거 같으니까
섣불리 밖으로 나가지 말고
두어 개 던지는 거 지켜본 다음
붙을지 말지 결정하자고.
알겠지?
예.
造形
造形

한 번씩 더
설명해준다.
잘 들어래이.

골 밑 두 명 다 말로는
195라는데 직접 보니까
그보다는 작은 거 같다.
김성훈 #9
195cm 3학년
최근에 머리를 짧게 잘랐다. 무슨 일 있었나?
이태영
3학년 #15
195cm

니들이
초보자건 뭐건 간에
리바운드는 절대
지지 마라고.
알겠제?
예.

다른 아들은
키가 포지션에 비해
크긴 한데
3학년 #22
이 초원
186 cm
못함.
박 상철 #7
1학년 ???
188 cm
조 용준 #25
2학년
190 cm
더 못함.

22번하고
25번이 슛이 괜찮으니까
것만 조심하면
별거 없을 기다.
나머지는
준비한 대로만
잘하면

협회장기 전국남녀중고농구대회
C조
지상고등학교 : 조형고등학교
오늘 경기
20점 차 이상으로
이길 수 있다.

햄!

뭐 그래
두리번거리는데?
집중해라!
뭐라노
ㅂ시 같은 게.
SANG

쳇…

재수 없어!
어차피
안 올 거면서
말은….
시간 나면 생각해볼

시작한다!
집중! 집중!

타악
탁
팅
휘익

탁

스윽
나이스!
선취점!
9 : 54
지상고 조형고
1
2 : 0

우와…
혼자 1.5배속
한 거 같네.
작년보다
더 빨라졌나…?

자, 자,
천천히…

!?

스륵

지상고 조형고

1

4 : 0

나이스!

4 대 0!

조형고도
우리랑 사정은
비슷하다.

벤치 멤버가
몇 명 없거든.

상평고가
하던 짓은
하기 힘들겠지.

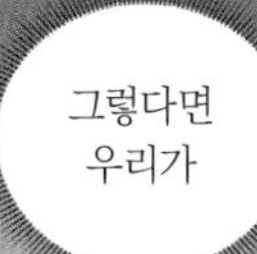
그렇다면
우리가

선수를 친다.

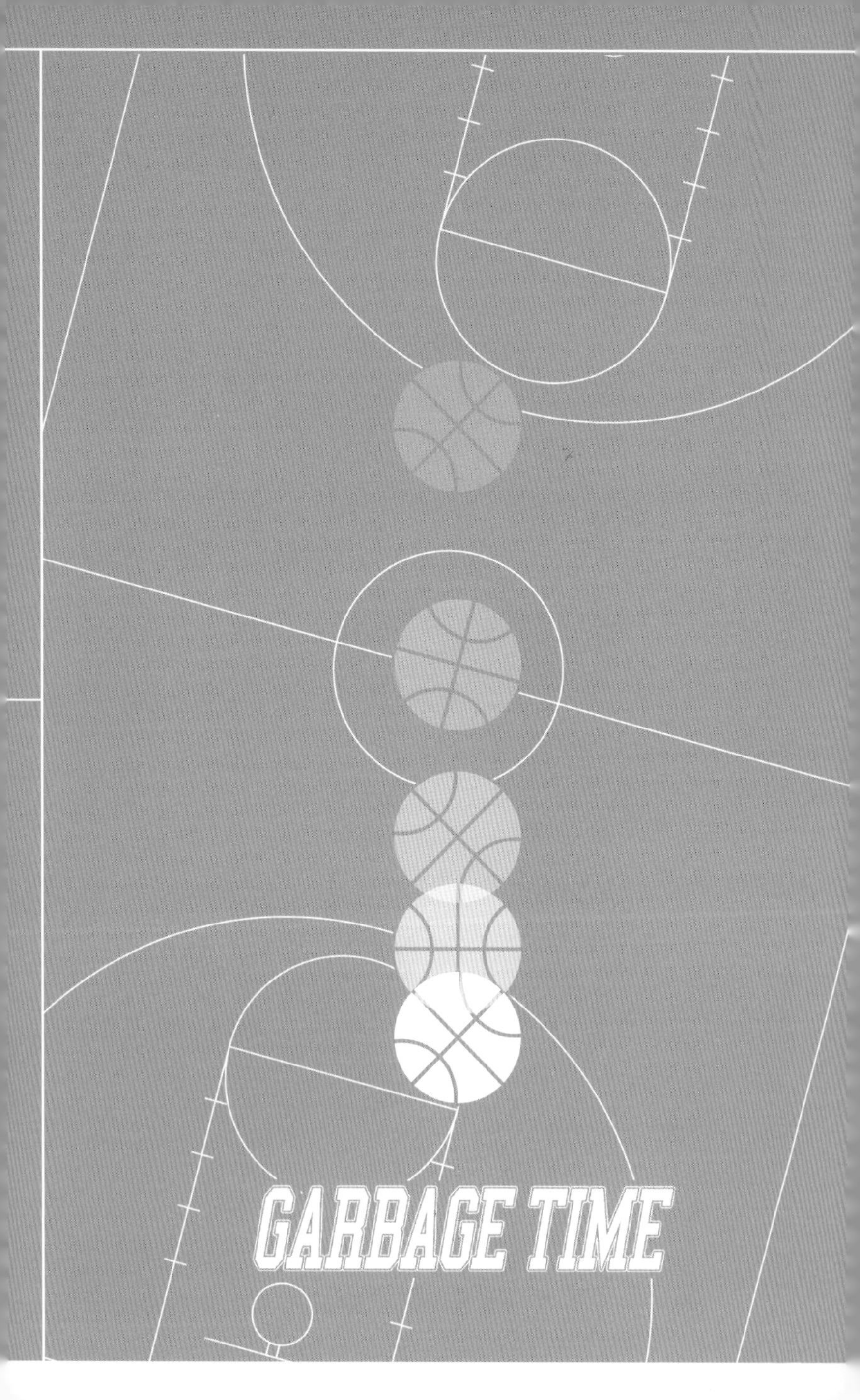
GARBAGE TIME

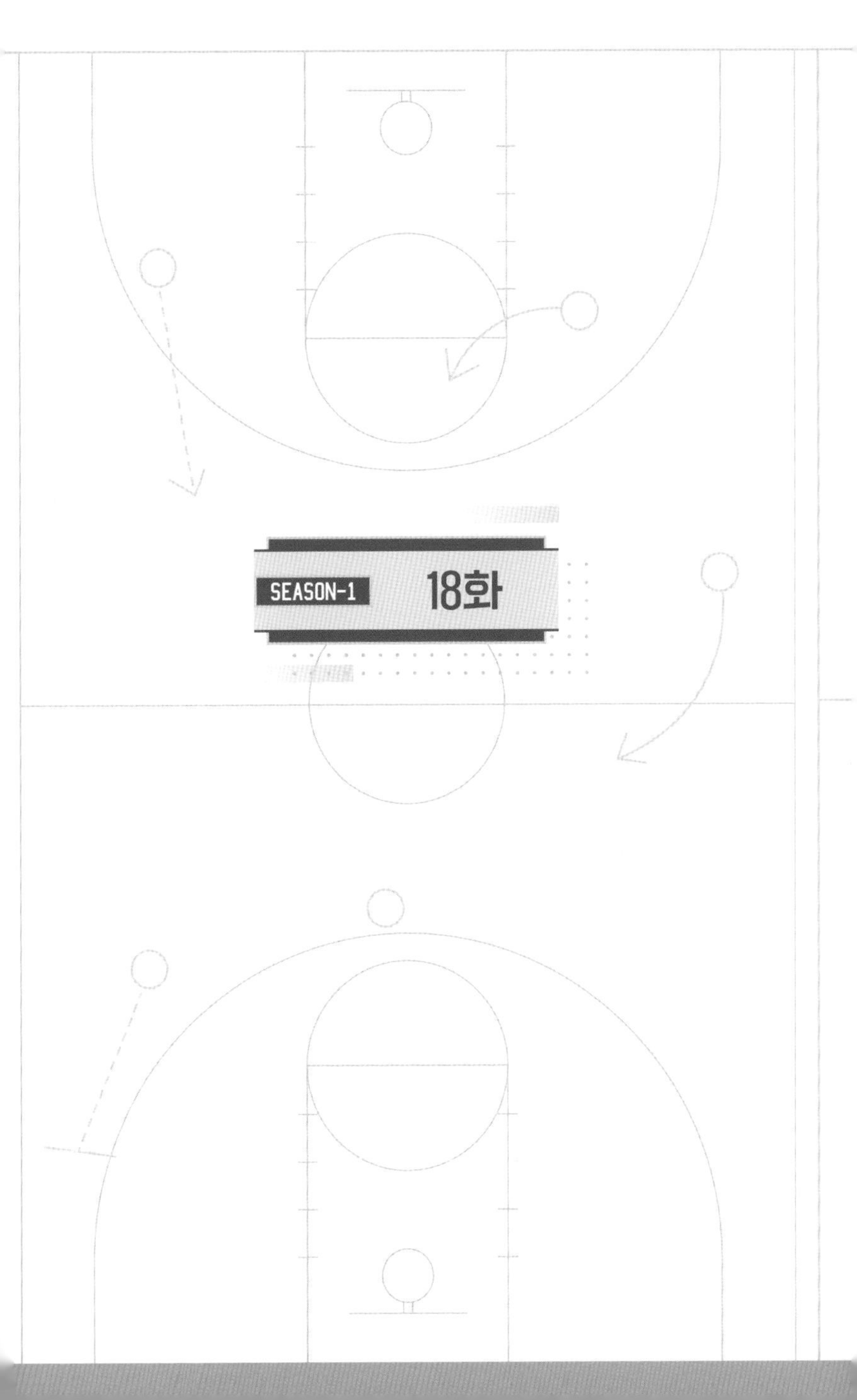
SEASON-1
18화

GARBAGE TIME

먼저
22번.

인마는 작년까진
그냥 받아먹기 슈터로
뛰었더라고.

*주로 공을 운반하는 포지션.

패스는
뻔하고
드리블도
서툴다.
앞질렀어!
빨라!

움직임을
완벽하게 잘랐다!
공까지
잡아버렸어!
이제 못 움직여!

그러니까…

하프라인도
못 넘어오게
만들어버려라.
JISANG
JISANG
22

워워워워
워워워워!
왁!왁!왁!왁!
왁!왁!왁!
왁!왁!왁!왁!
왁!왁!왁!
누… 누가
공 좀 받아줘!
우!우!우!우!우!
우!우!우!우!

뭐 해!?
가서 도와줘!

형!
여기!
造形

중 농구부

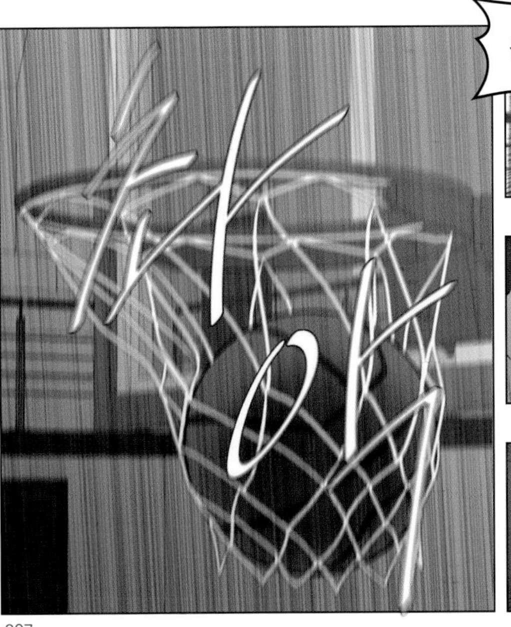

09 : 36
지상고 조형고
1
7 : 0

참나,
교체 선수도
한 명이면서
시작부터
맨투맨으로 풀코트
프레스라니.

체력적으로
힘들 거란 건
알고 있다.

딱 1쿼터.
1쿼터만
이 방식으로
15점 차 리드를
만들고

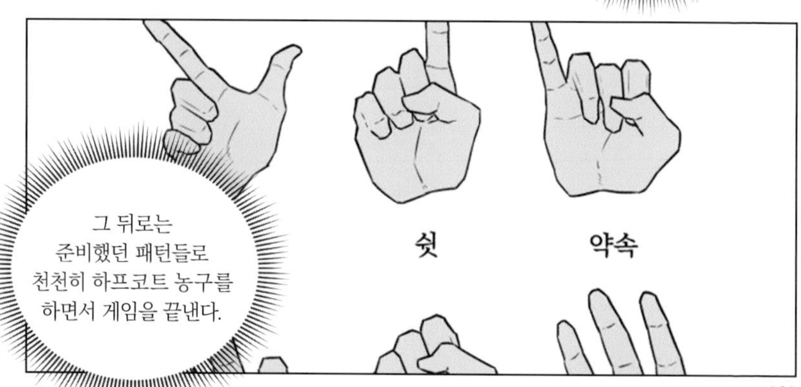
그 뒤로는
준비했던 패턴들로
천천히 하프코트 농구를
하면서 게임을 끝낸다.
슛
약속

왜 하필
15점 차냐면은
내 경험상
한 쿼터에 그 정도
차이가 생겼을 때

지는 입장에서
슬슬 의욕이
꺾이더라고.
아…

모든 게
계획대로 되고 있는
이 기분…

JISANG
4
9

정말…

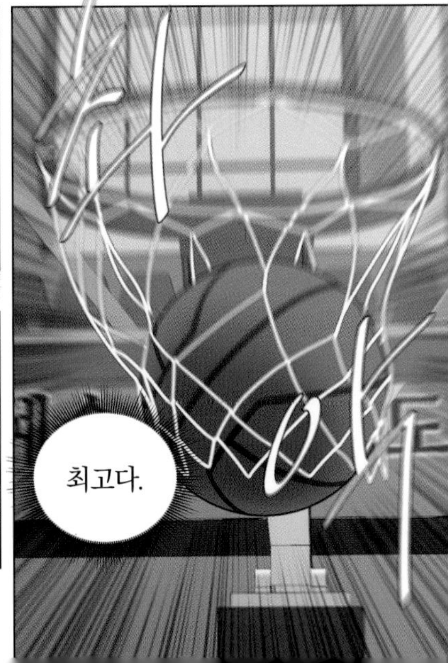
최고다.

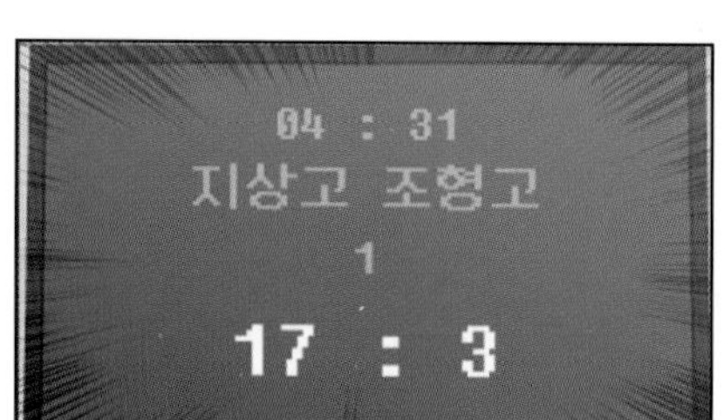
04 : 31
지상고 조형고
1
17 : 3

오케이!
앤드원!
복도시

와하하!
햄 방금 앵클브레이크 X쩔었어요!
JISANG

앵클브레이크는 무슨.
스크린에 걸려 넘어진 건데….
이링!

와…
대박이네요, 방금 거….

이 자식들이 상대 팀 플레이에 호응해주고 앉아 있네.
쯔읏

……
근데 그… 앵클브레이크가 무슨 뜻이냐?
그것도 모르세요?
나 농구 할 적에는 그런 말이 없었어.

저렇게 수비가 발목이 부러질 듯이 넘어질 만큼 뛰어난 드리블이나 드리블하는 사람을 앵클브레이커라고 해요.

보통 방향 전환의 관성을 못 이기고 미끄러지거나 예상 못 한 움직임에 당황해서 수비 혼자 스텝이 꼬일 때 넘어지게 되죠.
드리블러들의 로망 같은 거예요.

그래서 그 로망
니들은 해봤냐?
그건 아직….

운이 좀
따라야 하는 거라….

촤악
자유투까지 성공!

JISANG
행복도시

15점 차다!
04 : 31
지상고 조형고
1
18 : 3

쳇…

조형고 타임아웃!
푸하! 심장 터질 거 같다!
우리 5분 동안 18점 넣었음.
40분이니까 곱하기 8 하면 오늘 144점 넣을 듯.
와 내 볼링 점수보다 높은데?
기적의 계산법이네요.
JISANG

후후후 어떻노?
내 말대로 하니까는 게임이 술술 풀리제?
이것이 바로 가.드.차.이.
오늘이 우리 첫 승리의 날이다.

점마들 꼬라지 좀 보래이.

초상집이 따로 없네.

병찬이 준비해라.
오예~!

하…
생각보다 이르긴 하다만…

이 자식이 지금 상황에 오예가 나오냐?
잊지 마라.
더도 말고 덜도 말고…

딱,

12분이다.

21번이
나오려나보네요.

21번이요???

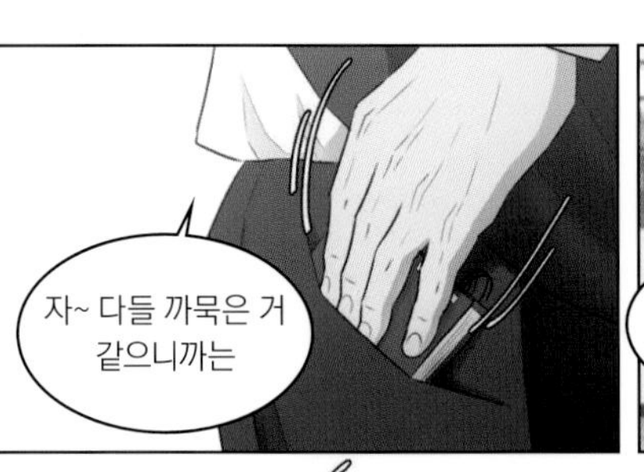
자~ 다들 까묵은 거
같으니까는

21번에 대해
한 번 더
설명해주자면…
어디 보자~
팔랑

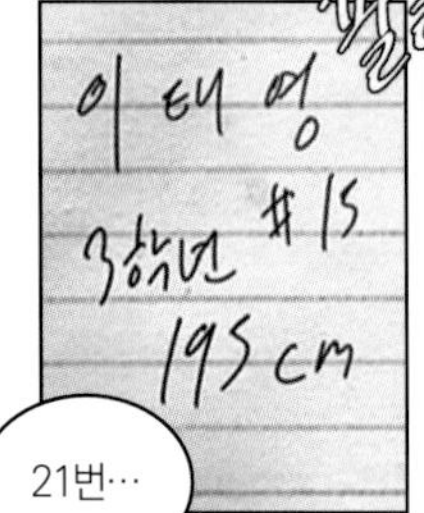
팔랑
이태영
3학년 #15
195cm
21번…

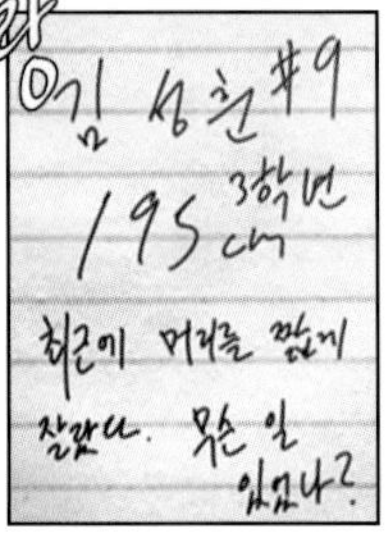
김성훈 #9
3학년
195cm
최근에 머리를 짧게
잘랐다. 무슨 일
있었나?

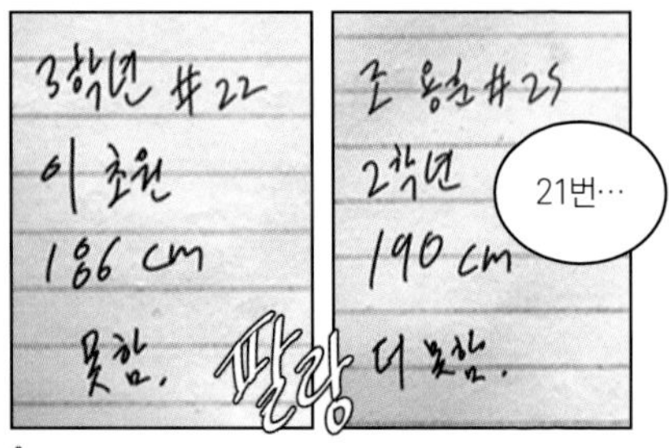
3학년 #22
이초원
186cm
못함.
조용호 #25
2학년
190cm
팔랑
더 못함.
21번…

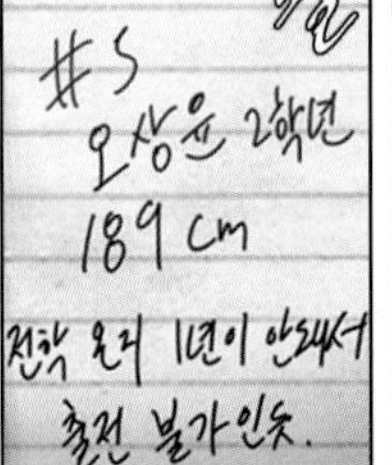
박상현 #7
1학년 ???
188cm
21번…
팔랑
#5
오상윤 2학년
189cm
전학 온지 1년이 안돼서
출전 불가인듯.

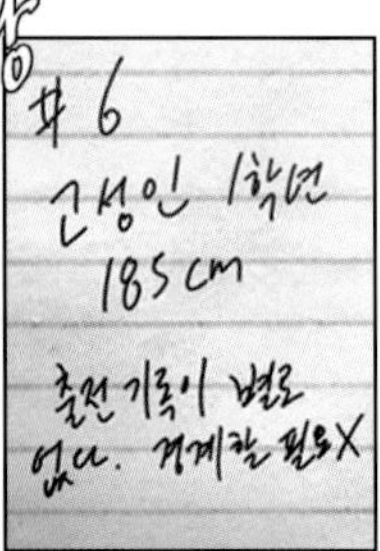
#6
근성인 1학년
185cm
출전 기록이 별로
없다. 경계할 필요X
팔랑
21번…

인마…

대체
누고?

GARBAGE TIME

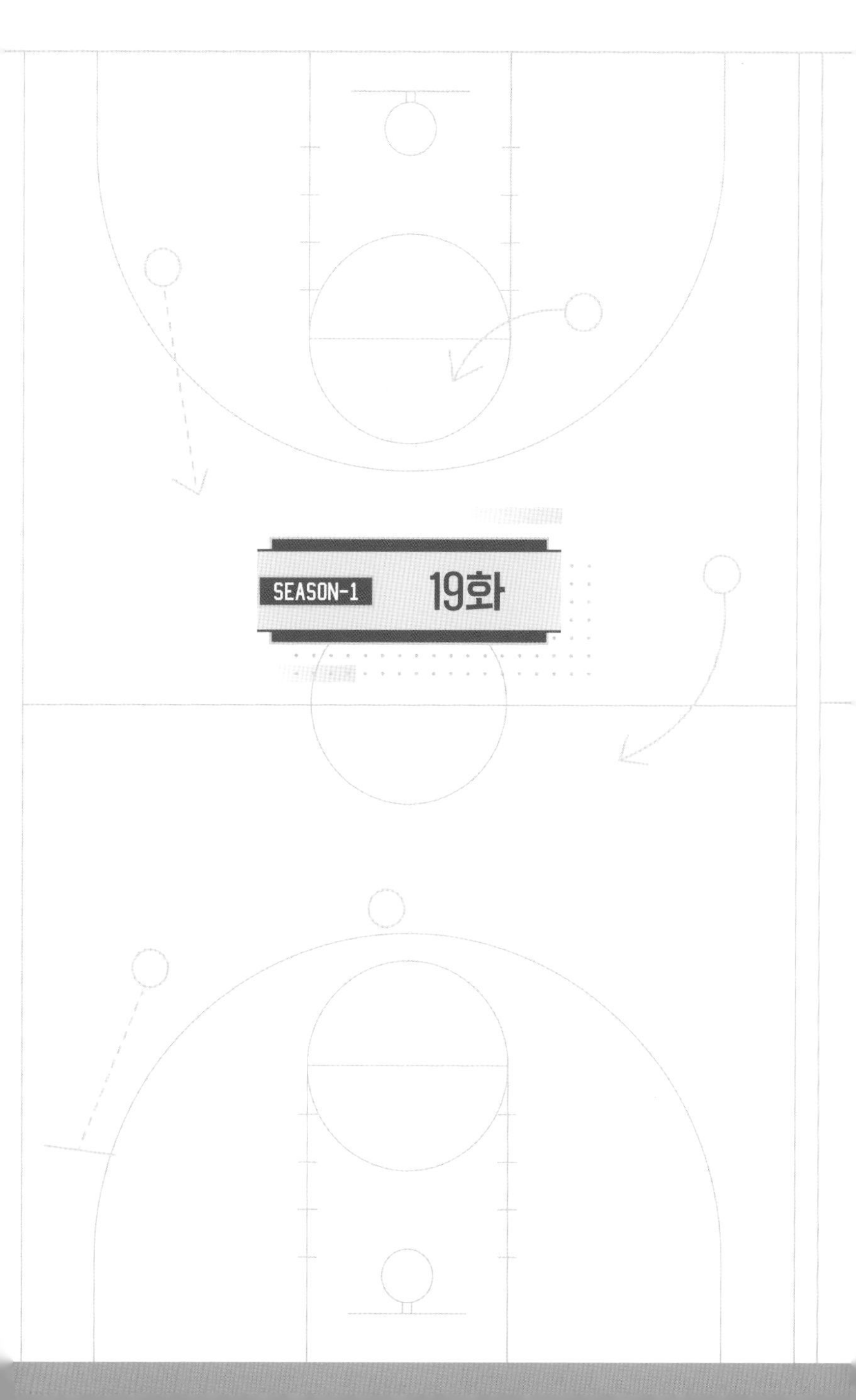
SEASON-1
19화

GARBAGE TIME

뭐고…?
명단에는 떡하니
있는 놈인데

왜 암것도
안 적어놨지?
깜빡하고
빼먹은 거가?

그럴 리가.
올해는 물론이고
작년 영상까지
전부 확인했는데…

분명
처음 보는
얼굴이다.

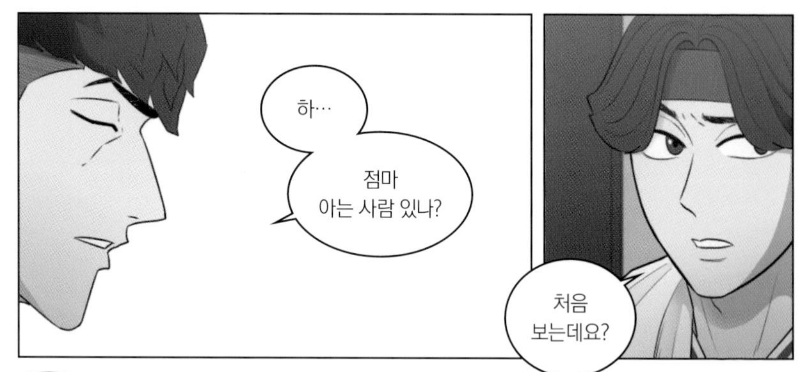
하…
점마 아는 사람 있나?
처음 보는데요?

3학년들은 어때?

전혀 모르겠어요.
……

안전하게 코트를 넘어가려고 교체한 거 같은데…
드리블이 좀 되는 놈인갑제?

뭐, 지금 흐름 좋으니까는
하던 대로 한 번 더 해보고
생각해보자고. 오케이?
예.
여기!

JISANG
31
21

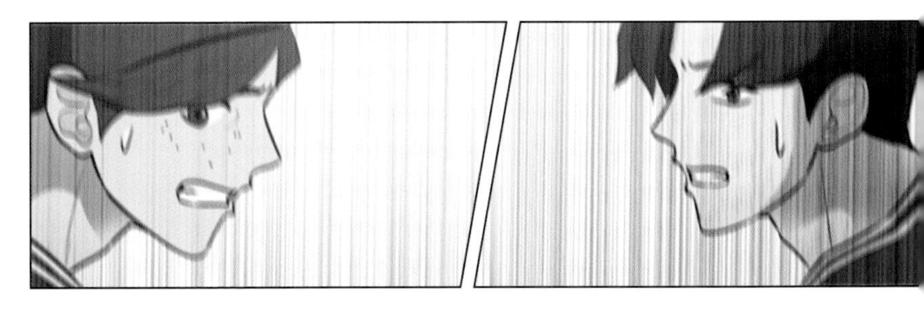

뚫었다!

역시!
풀코트 프레스는
여기까지다!
돌아가!
희차이!

왔습니다!

안 멈추고
달려들
생각이가?
어느 쪽이고?

교통과

왼쪽!

!?

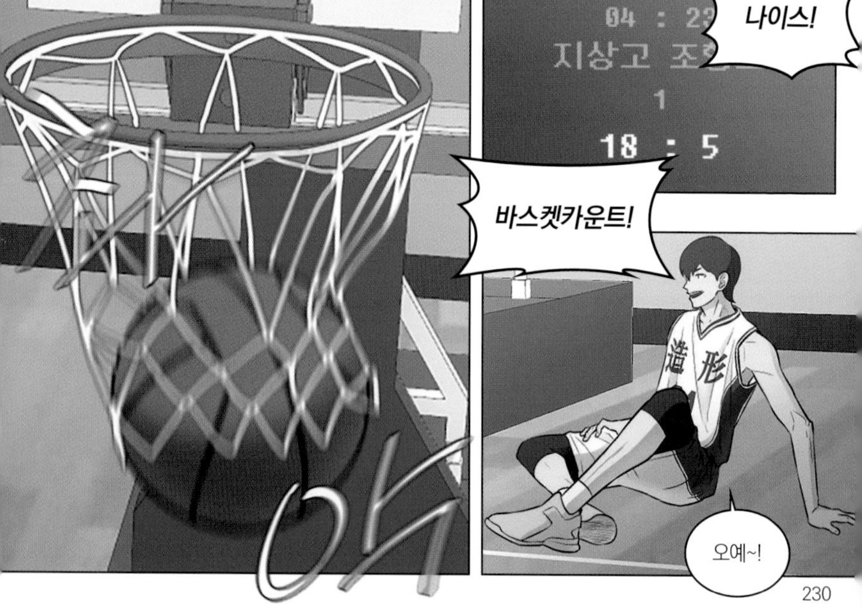
나이스!
18 : 5
바스켓카운트!
오예~!

명운여고
……

분명히
왼쪽으로 가는 거처럼
보였는데….

……
저놈의
와리가리 스텝은
요즘 아들한텐 거의
필수 동작인가보구만.

와리가리…?
유로스텝이요?
이거나 저거나.

……
흔한
동작이지만은

전속력으로
달려오던 중에
수비 바로
앞에서 그 정도로
예리하게 꺾이는
유로스텝이라니.

몸이
못 쫓아간 정도가
아니라

아예 시야에서
놓쳐버려서 몸이
반대로 돌아갔다.

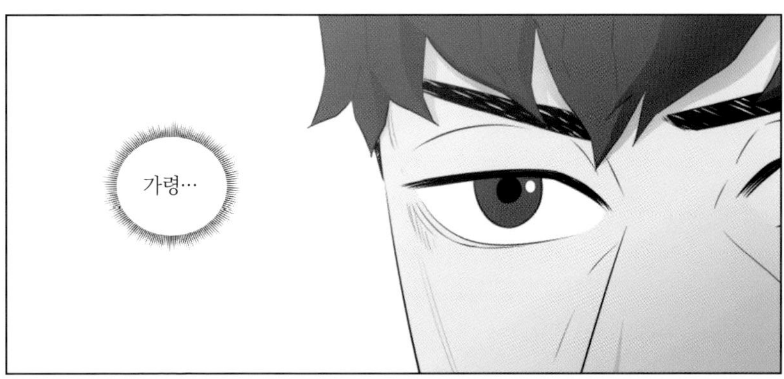

04 : 16
지상고 조형고
1
18 : 6
수비가
형편없다든가.
造 形
21
13

이래 가까이
붙어주는 거
보니까
내를 잘
모르는가본데?

물론

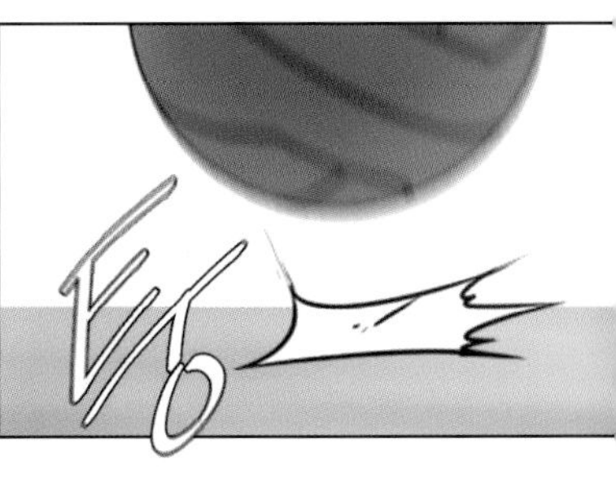

내야
고맙지만.
JISANG
13

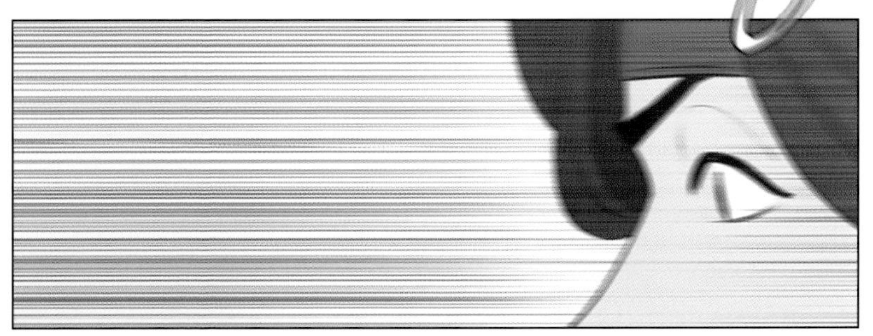

팅

뺏겼다!

잡았어!
나이스!

……

뭔가 이상해요.

희찬이가 다른 건 몰라도 달리는 거 하나만큼은 고등학생 중엔 최고 수준이거든요?
웬만한 3학년 가드들도 쫓아가기 힘들 정도니까.

그런데…
대충 봐도
희찬이보다 5센치는 크고
20키로는 더 나갈 것처럼
보이는 애가
造形
21
희찬이와
비슷한…
아니, 어쩌면
그 이상의 스피드로
움직여서

희찬이를
제치고

희찬이의
돌파를 코앞에서
막은 데다가

재간까지
갖추고 있습니다.

고작 공격권
한 번씩 주고받았을
뿐이지만…
감독님도
느끼셨을 거로
압니다.

저 녀석이
보통이
아니라는 걸.
21

여기서
이상한 건
제가
고등학교 코치 일
시작한 지가 거의
3년이 되어가는데

저 정도 선수에 대해
아무것도 모르고
있었다는 겁니다.

저 녀석을
모르는 대학교는
아마 없을 거다.
…?

그리고 뭐,
초고교급?
그건 욕이야
칭찬이야?
초고교급인 게
어찌 보면 당연하지.

21번
저 자식
고등학생
아니야.

3권에서 계속

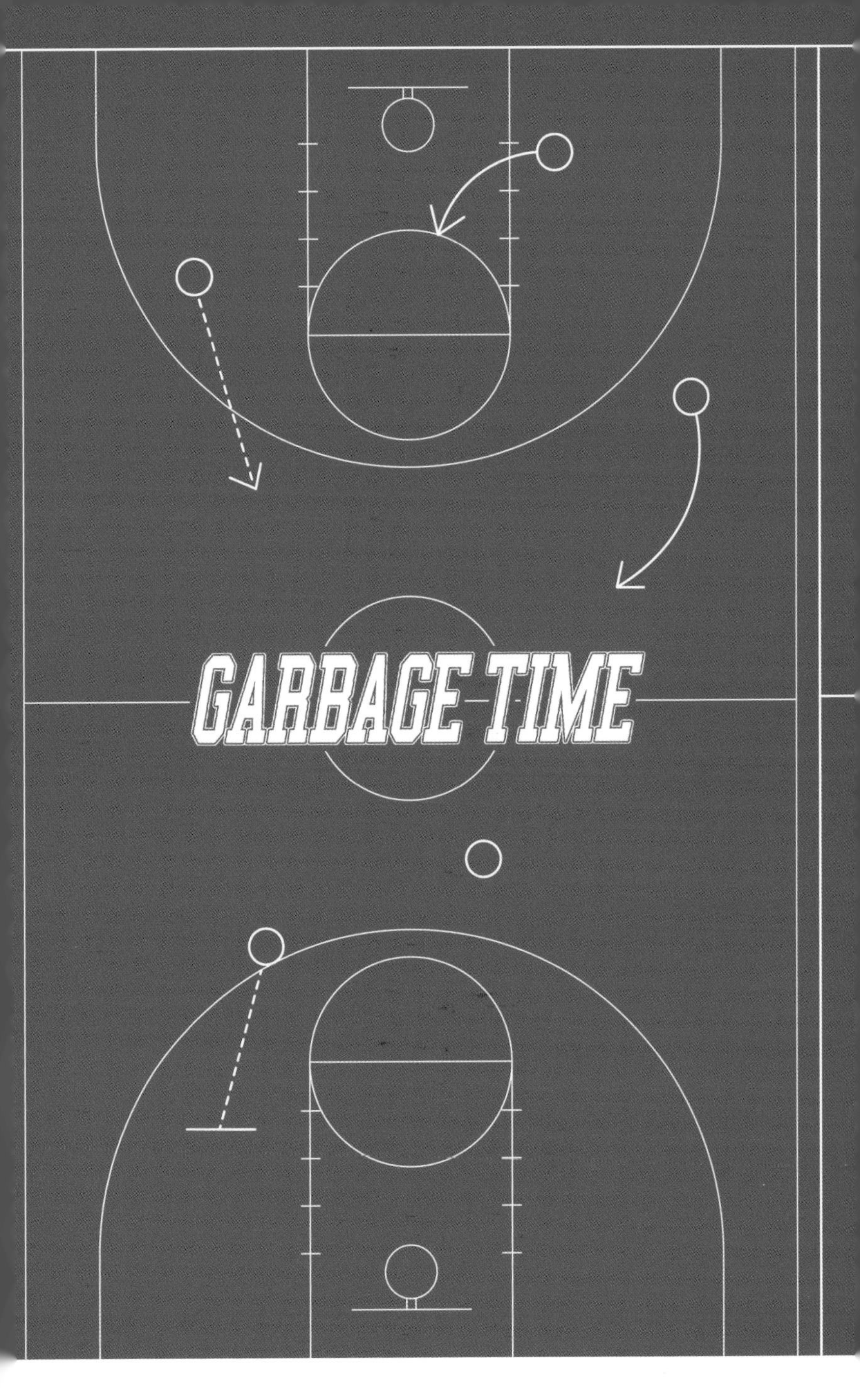
GARBAGE TIME

가비지타임 2

초판 1쇄 인쇄 2023년 5월 31일
초판 1쇄 발행 2023년 6월 28일

지은이 2사장
펴낸이 김선식

경영총괄 김은영
제품개발 정예현, 윤세미 **디자인** 정예현
엔터테인먼트사업본부장 서대진
웹소설1팀 최수아, 김현미, 심미리, 여인우, 장기호
웹소설2팀 윤보라, 이연수, 주소영, 주은영
웹툰팀 이주연, 김호애, 변지호, 윤수정, 임지은, 채수아
IP제품팀 윤세미, 신효정, 정예현
디지털마케팅팀 김국현, 김희정, 이소영, 송임선, 신혜인
디자인팀 김선민, 김그린
해외사업파트 최하은
저작권팀 한승빈, 이슬
재무관리팀 하미선, 김재경, 안혜선, 윤이경, 이보람 **제작관리팀** 이소현, 김소영, 김진경, 양지환, 이지우, 최완규
인사총무팀 강미숙, 김혜진, 박예찬, 지석배, 황종원 **물류관리팀** 김형기, 김선진, 양문현, 전태연, 전태환, 최창우, 한유현
외부스태프 하마나(본문조판)

펴낸곳 다산북스 **출판등록** 2005년 12월 23일 제313-2005-00277호
주소 경기도 파주시 회동길 490
전화 02-704-1724 **팩스** 02-703-2219 **이메일** dasanbooks@dasanbooks.com
홈페이지 www.dasan.group **블로그** blog.naver.com/dasan_books
종이 아이피피 **출력·인쇄** 북토리 **코팅·후가공** 제이오엘엔피 **제본** 다온바인텍

ISBN 979-11-306-4282-6 (04810)
ISBN 979-11-306-4300-7 (SET)

• 책값은 뒤표지에 있습니다.
• 파본은 구입하신 서점에서 교환해드립니다.